COMUNICACIÓN
EFICAZ

TEORÍA Y PRÁCTICA
DE LA
COMUNICACIÓN HUMANA

GUILLERMO BALLENATO PRIETO

COMUNICACIÓN
EFICAZ
TEORÍA Y PRÁCTICA
DE LA
COMUNICACIÓN HUMANA

EDICIONES PIRÁMIDE

COLECCIÓN «LIBRO PRÁCTICO»

Diseño de cubierta: Anaí Miguel

© Guillermo Ballenato Prieto
© Ediciones Pirámide (Grupo Anaya, S. A.), 2006, **2013,** 2016, 2017
Juan Ignacio Luca de Tena, 15. 28027 Madrid
Teléfono: 91 393 89 89
www.edicionespiramide.es
Depósito legal: M. 27-2013
ISBN: 978-84-368-2754-5
Printed in Spain

ÍNDICE

PRÓLOGO A LA PRIMERA EDICIÓN

Un nuevo libro de Guillermo Ballenato Prieto ve la luz, para ayudarnos en un tema tan importante como es la Comunicación. A pesar de que vivimos en una época en la que disponemos, como nunca antes, de medios y técnicas para comunicarnos en el sentido más amplio posible —valga como sencillo ejemplo el uso de Internet, con todas las posibilidades que nos ofrece—, podemos tener serias dificultades para comunicarnos entre nosotros.

Guillermo conoce bien esta situación, a través de sus diferentes experiencias profesionales en las que trabaja especialmente con jóvenes estudiantes. Quienes, como es mi caso, ejercemos la labor docente, a veces tenemos un contacto con los estudiantes no tan cercano como desearíamos.

Una de las dificultades más serias, además de las distancias generacionales, sociales y culturales que nos separan a unos de otros, estriba en que, en ocasiones, no somos capaces de seleccionar, entre toda la comunicación que recibimos, aquella que puede resultar de mayor interés. Nos abruma recibir tanta información y no disponer de capacidad ni de herramientas para tratarla de forma selectiva. Enfocamos nuestros esfuerzos hacia la comprensión de lo que realmente nos puede interesar, así como a actuar en aquellos temas en los que somos más capaces y en los que nuestra actuación puede percibirse en términos de eficacia, tal y como se menciona en el título de este libro: Comunicación eficaz.

Trazar las líneas directrices de métodos, técnicas y estrategias que puedan ayudarnos en este ámbito es el objetivo que se marca este nuevo texto. A partir de las experiencias concretas que el autor ha tenido oportunidad de desarrollar, pone a disposición del lector diversos medios que podrán resultar de utilidad en algunas de las múltiples situaciones en las que la comunicación —o los fallos en la misma— resulta de máximo interés.

En el ámbito educativo se ha observado en los últimos años una hiperespecialización en los estudios, derivada de la incorporación, en ocasiones poco selectiva, de multitud de nuevos conocimientos que se han de transmitir. Esta situación es generalizable, me atrevería a decir, a casi todos los ámbitos de la sociedad.

La falta de procedimientos o técnicas para discriminar el valor de la información que recibimos y, en ocasiones, también de la que transmitimos, puede llevarnos a un bloqueo cada vez mayor respecto del mensaje que se comunica, pudiendo provocar un rechazo de contenidos. Esto, además, puede afectar de manera relevante al normal desenvolvimiento de la persona en su ámbito relacional, tanto personal como social.

Conozco a Guillermo desde hace varios años, y he podido comprobar su tremendo entusiasmo en el trabajo y su magnífica disposición para atender cuantas peticiones le he transmitido desde mi posición actual como Director de la Escuela Politécnica Superior de la Universidad Carlos III de Madrid.

Algunos retos han resultado complejos, mucho más cercanos a la psicoterapia que a la pedagogía o a los aspectos meramente académicos. En todos los casos, la respuesta de Guillermo me ha resultado muy satisfactoria, por lo que tengo que agradecerle que me permita expresar estas emociones al prologar su libro.

Comunicarse entre personas es vital. Quienes sepan hacerlo con eficacia estarán en posiciones ventajosas respecto a quienes no se planteen con seriedad este asunto. En un mundo cada vez más globalizado, quienes quieran comunicar algo a los demás deberán conocer primero los mensajes que quieren recibir aquellos a los que supuestamente se dirigen. Y, además, deberán saber escuchar, y convertir el mensaje en una petición realizable, con respuesta concreta y práctica.

Este objetivo puede ser cubierto con la lectura de este libro, uno más en la serie de publicaciones que Guillermo Ballenato Prieto pone a disposición de lectores que, como usted y como yo, estamos inquietos no sólo por saber si nuestros mensajes llegan a nuestros interlocutores, sino también por asegurarnos de que entendemos las informaciones y mensajes que recibimos de nuestro entorno, y los interpretamos adecuadamente.

Si después de la lectura del libro el lector tiene una posición más abierta y sensible ante estas cuestiones y, además, ha encontrado diversas maneras de mejorar la comunicación con su entorno, será porque su autor, como en muchas otras ocasiones, nos ha envuelto con su entusiasmo, dedicación y profesionalidad. Gracias Guillermo.

EMILIO OLÍAS RUIZ
Exdirector de la Escuela
Politécnica Superior.
Universidad Carlos III de Madrid

PRÓLOGO A LA SEGUNDA EDICIÓN

Cuando pienso en la comunicación interpersonal humana, no sé por qué, me vienen a la cabeza algunas películas o series de televisión. Recuerdo, por ejemplo, *Primary Colors* (1998), un film dirigido por Mike Nichols e interpretado por John Travolta que, al margen de su hilo narrativo más visible (la construcción de un candidato a la presidencia de Estados Unidos), puede ser interpretado como un verdadero tratado sobre las maneras de la comunicación. Tanto es así que la película comienza su metraje con el significado que tienen para el candidato las distintas formas de dar la mano. También me acuerdo del célebre episodio de *Star Trek, La nueva generación* («Loud as a Whisper», 2.5), en el que los tripulantes del *Enterprise* coinciden en el desarrollo de una misión con una civilización de «sordos», es decir, personas con dificultades para utilizar la comunicación verbal, pero huelga decir que no por ello sus miembros están limitados en algún aspecto vital. Hay otros muchos casos más, alguno incluso en el cine español. Me imagino que me pasa esto porque la ilustración visual de los ejemplos comunicativos resulta inevitable en la sociedad contemporánea.

Pero por mucho que se diga que una imagen vale más que mil palabras, lo cierto es que «Comunicación eficaz. Teoría y práctica de la comunicación humana», el volumen escrito por Guillermo Ballenato, es absolutamente imprescindible. Y ello porque nos habla de algo tan importante como las formas de comunicación; y es evidente que ésta da sentido al mundo que conocemos o el que podemos imaginar. Desde luego que la comunicación es un elemento cardinal de la configuración del mundo. A veces lo olvidamos, por obvio, pero existen procesos de comunicación con el *nasciturus* y los científicos intuyen que también existen en situaciones todavía poco conocidas, como el estado producido por alguna enfermedad como el Alzheimer. Si salimos del territorio de la comunicación interpersonal para desplazarnos a las formas de la comunicación mediática o por Internet, desde luego se producen procesos que reenvían a experiencias que resultaban desconocidas hasta hace poco tiempo.

Un efecto curioso de los procesos de la comunicación interpersonal (o mediática) es que están tan permeabilizados en nuestras vidas que, en ocasiones, su propio funcionamiento es invisible, transparente. Así, raramente pensamos lo que caracteriza el hablar o el escribir. Y desde luego la mejor eficacia de ambas operaciones. Por ello este libro centrado en escudriñar los procesos comunicativos es tan importante. Busca iluminar aspectos de la comunicación, verbal y no verbal, para que con la luz del autor se puedan facilitar y/o mejorar los procesos de la comunicación interpersonal. Su lectura es apasionante porque desde luego lo son los temas que trata; indico algunos, como «expresarse con claridad» o «aprender a escuchar». Un objetivo de este libro de Guillermo Ballenato es mejorar las relaciones y la eficacia comunicativa que cada uno de nosotros tenemos con los demás. La cualificación previa del autor le convierte en privilegiado para desentrañar los pormenores concretos de los problemas mencionados. Y una razón de no menor importancia: Guillermo Ballenato ha combinado desde hace mucho tiempo un trabajo cotidiano de psicólogo y formador de centenares de estudiantes en la Universidad Carlos III de Madrid con un modélico afán por trasladar con la fluidez del experto su conocimiento y experiencia a los numerosos lectores.

En suma, el amable lector posee en sus manos un texto que no tengo duda en calificar como de lectura grata y, además, fuente de conocimiento.

Manuel Palacio
Decano de la Facultad de Humanidades,
Comunicación y Documentación
Universidad Carlos III de Madrid

PRESENTACIÓN

*«La palabra es capaz de aplacar el miedo,
de disolver la tristeza, de exaltar la alegría,
de animar la compasión».*

Gorgias

La comunicación es un tema apasionante. Adentrarse en su conocimiento y análisis puede llevarnos a reflexiones profundas sobre nosotros mismos y sobre las relaciones humanas. Cualquier mejora que podamos introducir en el ámbito de la comunicación puede contribuir decididamente a lograr un mayor equilibrio personal y a optimizar las relaciones interpersonales.

El presente libro es fruto de la profundización en el conocimiento teórico-práctico de la comunicación, y del desarrollo de esta temática realizado en el ámbito de la formación. También es producto, y de un modo muy especial, de la propia experiencia personal y de la práctica clínica individual, de pareja, de grupo y familiar.

En las páginas siguientes se van a desarrollar muchas ideas, pero, en esta presentación inicial, sería conveniente anticipar y destacar especialmente dos:

- La importancia de *saber escuchar.*
- La necesidad de aprender a *orientar la comunicación en positivo.*

Ambas ideas revierten en una mejora sustancial en la comunicación, y contribuyen a que muchas personas puedan disfrutar tanto de una vida como de unas relaciones más positivas.

Los diversos contenidos que se incluyen en el manual nos pueden ayudar a descubrir las múltiples posibilidades que nos ofrece la comunicación. Muchas estrategias, a pesar de parecer sencillas y bastante obvias, o bien no se conocen, no se había reparado suficientemente en ellas, o bien son poco tenidas en cuenta, y no son puestas en práctica o aplicadas de un modo adecuado.

En la comunicación resulta tan importante el componente racional-intelectual como el emocional-afectivo. Su relevancia trasciende igualmente lo intrapersonal para adentrarse en lo interpersonal, marcando el carácter y el curso de las relaciones sociales. El pensamiento, el lenguaje y la conducta se hallan estrechamente vinculados entre sí.

La persona que habla, que escribe y que comunica, de algún modo ejerce sobre los demás un poder de influencia que debe conocer y saber administrar. Las palabras crean realidades, despiertan ideas, fomentan actitudes, hacen aflorar emociones y provocan conductas en aquellas personas que las reciben.

El presente libro revisa los contenidos más relevantes de la teoría de la comunicación, y desarrolla los aspectos verbales y no verbales de la misma. En sus páginas se analizan las principales barreras y filtros, se destaca la importancia del carácter bidireccional de la comunicación, las claves para ir ajustándola y perfeccionándola, y se proponen y ofrecen estrategias para mejorar y optimizar la comunicación interpersonal.

La extensa bibliografía complementaria que se incluye al final del libro permite ampliar los contenidos que se abordan en el mismo.

Animamos al lector a descubrir sus cualidades como comunicador, y a que desarrolle o introduzca cambios oportunos en aquellos aspectos de este ámbito que son susceptibles de mejora. Pero, para que esto sea una realidad no es suficiente con el simple conocimiento o la toma de conciencia de las posibles limitaciones o deficiencias en nuestra forma de comunicarnos.

La mejora en estas habilidades suele venir de la mano de un esfuerzo consciente por cambiar hábitos normalmente muy arraigados, referidos tanto a la forma de recibir la información como a la forma de emitirla. También puede requerir de una revisión de nuestra propia personalidad y de nuestras actitudes. Con frecuencia, la mejora en la comunicación lleva a muchas personas al autodescubrimiento. Confío en que estas páginas y las diversas ideas que se exponen en este manual contribuyan a ello.

Agradecimientos

Deseo expresar mi agradecimiento de un modo especial a mis *colegas* de profesión, a mis *amigos* y a mis *alumnos*, por su valioso y constante ánimo y estímulo, por su notable paciencia, y por sus aportaciones, comentarios y sugerencias.

Gracias también a la *Universidad Carlos III de Madrid*, cuyo decidido apoyo a la formación integral y al desarrollo personal del estudiante está en el origen de este libro. A *D. Emilio Olías Ruiz*, exdirector de la Escuela Politécnica Superior de dicha Universidad, por su amabilidad al escribir el prólogo de la primera edición. Y a D. José Manuel Palacio Arranz, decano de la Facultad de Humanidades, Comunicación y Documentación, autor del prólogo de la presente edición. A toda la comunidad universitaria, por su confianza y aliento, y su calidad humana y profesional.

Y, por supuesto, gracias también a quienes habéis decidido adentraros en la lectura de este libro, dispuestos a desarrollar y a perfeccionar vuestras habilidades de comunicación.

GUILLERMO BALLENATO PRIETO
gballenato@gmail.com
www.cop.es/colegiados/m-13106

1

INTRODUCCIÓN

«Escuchar al otro es dejarle ser».

Anónimo

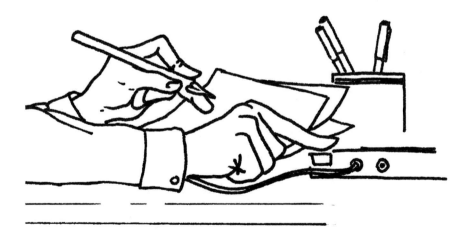

EL PRIVILEGIO DE LA COMUNICACIÓN

Hace algunos años tuve la oportunidad de impartir un curso para un grupo de personas que presentaban limitaciones tanto auditivas como visuales. Padecían diversos grados de sordo-ceguera, y en algún caso tenían también limitada la expresión oral.

Para poder llevar a cabo esta formación se utilizaron adaptaciones personalizadas para cada uno de los asistentes. En algún caso puntual fue suficiente con la utilización de micrófono y ayudas acústicas; en otros casos se traducían los contenidos a lenguaje de signos, si disponían de algún resto visual, o a través del contacto físico de las manos apoyadas. A uno de los alumnos se le iba escribiendo en el teclado de un ordenador el contenido de las clases de forma que, empleando una ampliación de pantalla y un tamaño de letra suficientemente grande, pudiese visualizarlo en el monitor. El ritmo de impartición era lógicamente algo más lento de lo habitual.

El grupo de alumnos era reducido, en torno a diez personas. Estaban ilusionados, deseando aprender, y participaron activamente durante cada una de las clases. Fue un verdadero regalo compartir aquellas jornadas con ellos.

Tras concluir la formación, que se desarrolló en el transcurso de una semana, aprendí a dar mucho más valor a la oportunidad que tenemos la mayoría de las personas de comunicarnos sin algunas limitaciones tan importantes. Tal vez no valoramos suficientemente el hecho de poder ver y oír a nuestros interlocutores, o de hablar, leer y escribir sin dificultad. Lamentablemente, con frecuencia, el ser humano no es consciente del valor de muchas de sus facultades, salvo cuando éstas se ven alteradas, reducidas o se carece de ellas.

Uno de esos grandes privilegios que debemos aprender a valorar cada día, y a utilizar también de un modo más adecuado, es el hecho de poder comunicarnos entre nosotros.

NOS RELACIONAMOS

Muchos seres vivos, como es el caso de los delfines, las ballenas o las abejas, disponen de sistemas de comunicación, en algunos casos más rudimentarios, y en otros casos verdaderamente sofisticados. Los seres vivos nos relacionamos gracias a que podemos comunicarnos entre nosotros.

La necesidad que tiene el ser humano de comunicarse le ha llevado a desarrollar a lo largo de la historia sistemas muy diversos que le permiten enviar señales a distancia, sin que sea preciso que el emisor y el receptor tengan que estar necesariamente presentes en el mismo lugar:

- Los señales de humo.
- La utilización del papel y la imprenta.
- El correo y el telégrafo.
- La radio y la televisión.
- Los sistemas de grabación de imagen y sonido.
- La digitalización de la información.
- El desarrollo de Internet y del correo electrónico.
- La telefonía móvil.
- Los satélites artificiales.
- La tecnología derivada de los avances y la utilización del láser.

Es evidente que necesitamos comunicarnos. Pero cabe preguntarse si lo que hacemos en muchas ocasiones puede denominarse realmente comunicación. Muchas conversaciones que mantenemos las concluimos convencidos de que los demás han entendido nuestras ideas y argumentos, y con la certeza de que les hemos comprendido a la perfección. Sin embargo, aunque lo intentamos, en muchos casos esto no es así.

¿LA ERA DE LA COMUNICACIÓN?

La aparición y el desarrollo del lenguaje en el ser humano fue la piedra de toque del desarrollo de su inteligencia, de su pensamiento, de su capacidad de abstracción. Dedicamos alrededor de tres cuartas partes de nuestro tiempo de vigilia a la comunicación, bien sea hablando, escuchando, leyendo o escribiendo.

Para hacer alusión a la falta, carencias, fallos o alteraciones en la comunicación se suele emplear el término genérico de incomunicación, aunque en algunos casos podríamos hablar de acepciones menos usuales o académicas, pero igualmente interesantes, como descomunicación o discomunicación.

Vivimos en una sociedad cada vez más compleja y plural, en la que, sin embargo, se tienden a simplificar los mensajes para llegar a un público cada vez mayor y más heterogéneo, a unos receptores con características cada vez más diversas.

Resulta paradójico que vivamos en lo que muchos analistas han coincidido en denominar la *era de la comunicación*. Tenemos acceso rápido a una gran cantidad de información, disponemos de tecnologías cada vez más avanzadas para comunicarnos, aprendemos idiomas, pero cada vez parece que nos entendemos menos. Somos capaces de llegar a planetas cada vez más lejanos, y sin embargo no sabemos ni cómo hablar con el vecino de al lado.

El problema ya no es sólo una falta de entendimiento motivado por los cambios generacionales, como ocurría en décadas anteriores. Un famoso monólogo del genial humorista Gila hacía referencia a los problemas que surgen entre los padres y los hijos, cuando éstos se hacen mayores y llegan a casa de madrugada sin haber avisado ni siquiera por teléfono. Argumentaba en su exposición que el origen del problema residía en que se había roto el *diálogo* entre padres e hijos. Y recordaba que, cuando era joven, su padre le pedía que se sentase para hablar con él, y le decía «con ternura» que si se le ocurría llegar a casa más tarde de las once de la noche le iba a reventar la cabeza de una patada. Concluía el monólogo afirmando, con una sencillez y una lógica que despertaba las carcajadas del público, algo así como: «*¡Pues yo le entendía perfectamente! ¡Entonces sí que había diálogo! ¡Qué pena que se esté perdiendo la comunicación en el seno de la familia!*».

PRINCIPALES ÁREAS DE INFLUENCIA

El lenguaje ha sido el punto de partida del desarrollo personal y social del ser humano. La vida en sociedad y la convivencia en armonía dependen en gran medida del uso adecuado que se haga de esta posibilidad de comunicarnos eficazmente.

La comunicación está presente e influye de forma decisiva prácticamente en todas las áreas de la vida del ser humano. Cabe destacar su influencia especialmente en los siguientes ámbitos:

• *Ámbito personal:* el primer diálogo que entablamos es el discurso interior que mantenemos con nosotros mismos. Las mejoras en la comunicación no tienen que ver sólo con aspectos formales, con el academicismo y el rigor en la expresión. La comunicación está estrechamente vinculada a la psicología del individuo, a su experiencia vital, a su especial forma de concebir el mundo y de relacionarse con los demás. Se trata, sin duda, de un elemento clave para el *desa-*

rrollo personal. El ser humano es un ser social que se relaciona, que aprende, que crece intelectual y emocionalmente. Y la herramienta principal que posibilita todos esos procesos es la comunicación.

- *Ámbito académico:* la comunicación es la principal herramienta de transmisión de conocimientos en la docencia, es el vínculo que posibilita el proceso de enseñanza-aprendizaje y permite la formalización de los avances de la ciencia y el saber.

  Junto a la familia, el ámbito escolar es la otra gran fuente esencial de aprendizaje y desarrollo del uso del lenguaje. El sistema educativo suele poner especial énfasis en que el alumno realice dos actividades básicas: *escuchar* y *leer*. Se escuchan las explicaciones del profesor y se leen apuntes, libros y manuales. Puntualmente también se trabaja el desarrollo de las habilidades de expresión *oral* y *escrita*. Se realizan actividades dirigidas a que el alumno desarrolle sus destrezas a la hora de conversar, contar y expresarse, tanto oralmente como por escrito. Es un aprendizaje que debe iniciarse en edades tempranas y no detenerse nunca.

- *Ámbito laboral:* en las organizaciones, el intercambio de información es continuo, y hace necesaria la coordinación de esfuerzos y la optimización del trabajo en equipo; la eficacia y el logro de objetivos en las organizaciones depende en gran medida de la cantidad y calidad de las comunicaciones que se establecen, tanto internas como externas, tanto verticales —ascendentes o descendentes— como horizontales, tanto formales como informales.

- *Ámbito social:* los vínculos y el curso de las relaciones que mantenemos con los demás vienen marcados por la comunicación que establecemos con ellos. Sin comunicación no podríamos concebir las relaciones sociales.

Principales áreas de influencia de la comunicación

- Organización y gestión de Recursos Humanos.
- Calidad.
- Liderazgo.
- Trabajo en equipo, reuniones.
- Solución de conflictos.
- Entrevistas de trabajo, selección de personal.
- Evaluación del personal.
- Motivación.
- Función comercial, ventas.
- Publicidad, marketing.
- Gestión del tiempo.
- Oratoria, presentaciones en público.
- Formación, educación.
- Ciencia, investigación.
- Sociedad, ética, ocio y cultura.
- Política, economía, relaciones internacionales.
- Medios de comunicación.
- Relaciones interpersonales.

MEJORAR NUESTRA COMUNICACIÓN

Cuando pensamos en un *buen comunicador*, ¿quién viene a nuestra mente?, ¿a qué persona de nuestro entorno le daríamos ese calificativo? Podemos aprender mucho sobre comunicación si pensamos en sus cualidades particulares y en las características de su estilo y forma de comunicar.

Normalmente, al hacer referencia a las características generales del buen comunicador se suele destacar que se trata de una persona que:

- Se expresa con claridad y se hace entender.
- Sabe escuchar.
- Nos convence con sus palabras.

Nuestro estilo y forma de comunicarnos se ha ido forjando durante mucho tiempo. Se va convirtiendo en un *hábito* sólidamente arraigado, que marca diferencias en nuestro carácter y en nuestra forma de actuar:

- Hay personas más habituadas a escuchar mientras otras suelen intervenir con más frecuencia en las conversaciones.
- Unas prefieren hablar de forma espontánea mientras otras planifican su intervención y miden sus palabras.
- Hay quien criba, resume y sintetiza los contenidos, mientras otros prefieren desarrollarlos ampliamente y con gran profusión de detalles.
- Algunas personas tienden a centrar sus mensajes en los aspectos más positivos mientras otras se centran en lo negativo.

La mejora en la comunicación vendrá de la mano de nuestra capacidad para revisar, y modificar en su caso, muchos de estos hábitos adquiridos y consolidados a lo largo de los años en cada uno de nosotros.

¿Podemos hablar de técnicas de comunicación infalibles?

La aplicación rigurosa y estricta de las estrategias de comunicación no sólo no garantiza el éxito de ésta, sino que puede convertirse en un elemento de distorsión. Seremos mejores comunicadores en tanto seamos capaces de movernos con flexibilidad en los diferentes intercambios comunicacionales, y sepamos conjugar la aplicación de las estrategias y el cumplimiento de determinados aspectos formales con la autenticidad, la naturalidad y el propio estilo personal.

La eficacia vendrá más bien de la mano de nuestra capacidad para *adaptar* las diversas estrategias a las circunstancias, al mensaje, a nuestro propio estilo personal, al interlocutor y al contexto en que se desarrolla la comunicación.

LOS OBJETIVOS Y LA RESPONSABILIDAD DE LA COMUNICACIÓN

Las metas que pretendemos cuando nos comunicamos pueden ser muy diversas, pero hay dos objetivos básicos que una comunicación eficaz debería alcanzar: *claridad* y *armonía* —entendida como el equilibrio y buena relación entre las partes—. Aunque ambos están muy vinculados, el logro del primero suele ser especialmente deseado y tenido en cuenta, mientras que la armonía queda relegada en más de una ocasión a un segundo plano. El mayor o menor peso que se asigne a cada uno de ellos variará en las diferentes interacciones que establezcamos. Una comunicación clara, pero que no persigue o no logra además la conexión y el mantenimiento de una adecuada relación con el interlocutor, puede interferir en la continuidad de dicha relación, y limitar u obstaculizar posibles comunicaciones futuras.

Objetivos de la comunicación

Si una comunicación falla y un mensaje no es interpretado adecuadamente, ¿podríamos afirmar que es responsabilidad del emisor? ¿Le corresponde al emisor la función de controlar las variables precisas para que el mensaje llegue de modo adecuado? Aunque pueda parecer de entrada algo categórico, podríamos partir del supuesto de que si alguien no nos entiende, la responsabilidad es nuestra.

Parece lógico pensar que la eficacia y el resultado de la comunicación es una responsabilidad compartida tanto por el emisor como por el receptor. Sin embargo, la mayor parte del peso de la comunicación recae sobre el emisor. Él es quien debe procurar esforzarse por conocer a su interlocutor, conectar con sus motivaciones, captar su atención, interesarle, saber adaptar su mensaje, buscar el momento adecuado, y asegurarse y garantizar que su mensaje ha llegado y ha sido interpretado correctamente.

EJERCICIO DE COMUNICACIÓN

- A continuación proponemos una *práctica* de comunicación.
- Observa el siguiente *dibujo*.
- Elige a una *persona* con la que desees realizar el ejercicio.
- Mantén *oculto* el dibujo, sin mostrarlo inicialmente en ningún momento.
- Ofrécele, como *material* de trabajo, un folio blanco, un lapicero y una goma de borrar.
- Sentaos *de espaldas*, de modo que no puedas ver el dibujo que va a realizar.
- Descríbele el dibujo paso a paso sólo con *palabras*, sin acompañar la explicación con gestos.
- La otra persona deberá realizar un *dibujo* similar siguiendo tus instrucciones.
- Deberá hacerlo en *silencio*, sin poder hablar ni consultar dudas.
- Una vez terminado comparad el resultado de su dibujo con el original.

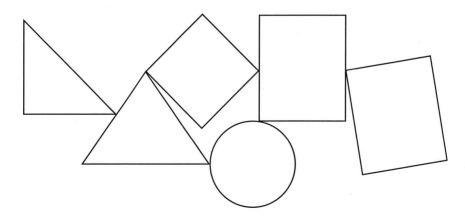

ANÁLISIS

- ¿Ha habido diferencias?
- ¿A qué pueden atribuirse?
- ¿Qué tal se ha desempeñado el papel tanto de emisor como de receptor?
- ¿Cuáles han sido las principales dificultades para llegar a entenderse?
- ¿Qué aspectos se podrían mejorar en el futuro?
- Intenta poner por escrito las instrucciones que podrían asegurar un resultado óptimo a cualquier persona que intentase realizar el dibujo sin haber visto preaviamente el modelo:

_____

_____

_____

_____

_____

_____

_____

2

TEORÍA DE LA COMUNICACIÓN

*«El hombre que sabe hablar
sabe también cuándo hacerlo».*

ARQUÍMEDES

¿QUÉ ES COMUNICAR?

Podemos hablar de comunicación para referirnos tanto a la acción como al efecto de comunicar. La comunicación implica algún tipo de relación o de unión entre dos partes, que se conectan o se corresponden entre sí de algún modo. Podemos definirla como un proceso de *transmisión y recepción de señales* —ideas, mensajes, datos— *mediante un código* —un sistema de signos y de reglas— *que es común* tanto al emisor como al receptor.

En esa transmisión de información se intenta reducir al mínimo la posible pérdida de información, procurando que se genere en la mente del destinatario una copia o un duplicado de la información tal y como aparece en la imagen mental del emisor.

El ser humano posee la capacidad de dotar de significado a los objetos, a las ideas, a los sucesos. Codificamos y decodificamos mensajes, en un proceso que tiene una cierta carga de subjetividad. En la comunicación se tiñen los significados a partir de elementos muy diversos:

- Sensaciones y percepciones.
- Motivaciones y deseos.
- Emociones y sentimientos.
- Pensamientos e ideas.
- Opiniones y creencias.

- Actitudes y valores.
- Conductas y experiencias.

La comunicación es una conducta más del ser humano, pero cabe igualmente entender que cualquier conducta también es comunicación, y que ésta a su vez afecta a la conducta. Ambas quedan así ligadas, conformando una unidad. Cualquier cosa que hagamos —incluso no hacer nada— está comunicando algo.

LOS ELEMENTOS IMPLICADOS EN EL PROCESO

La comunicación es un proceso complejo en el que intervienen varios elementos:

Proceso de la comunicación

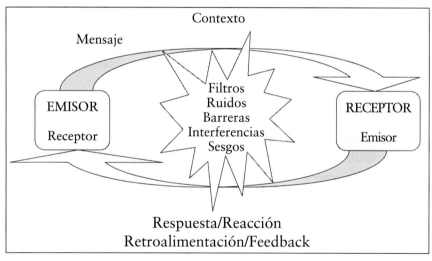

Los principales elementos implicados en el proceso son:

- *Emisor-codificador:* es el punto de partida, la persona que comunica. Es el origen del mensaje, y a su vez será el receptor de la respuesta.

- *Código:* conjunto de normas —sistema de signos, símbolos y reglas— común al emisor y al receptor, que les permite formular y comprender los mensajes, codificarlos y decodificarlos. La acción de codificar implica la transformación de la información hasta convertirla en un mensaje transmisible. Y decodificar supone traducir e interpretar la información recibida, siguiendo el proceso inverso.
- *Mensaje:* núcleo de información; son los contenidos elaborados y preparados para su transmisión.
- *Canal:* cualquiera de las vías o medios a través de los cuales se emite el mensaje y se transmite la información —voz, teléfono, imagen, escritura, correo, módem—. Puede ser principalmente auditivo —oral— o gráfico —visual—.
- *Contexto:* situación concreta en la que se realiza la comunicación.
- *Receptor-decodificador:* destinatario de la comunicación, recibe el mensaje y puede a su vez emitir una respuesta.
- *Filtros*: ruidos, barreras, interferencias, sesgos, obstáculos que dificultan la comunicación e impiden que el mensaje llegue de forma correcta o adecuada.
- *Retroalimentación o feedback:* respuesta, reacción, información de retorno. Procede del receptor y permite al emisor evaluar si se ha producido algún error en la comunicación, e ir regulando progresivamente el proceso.

TIPOS DE COMUNICACIÓN

Podemos hablar de tres tipos básicos de comunicación:

- *Comunicación verbal:* a través de contenidos lingüísticos, haciendo uso del lenguaje, podemos iniciar una conversación, transmitir un mensaje, obtener información o feedback. La comunicación verbal puede ser:

— Oral: hablar / escuchar.
— Escrita: escribir / leer.

* *Comunicación no verbal:* las señales o indicadores no verbales —postura, gestos, distancia, mirada, movimientos— aportan una información muy valiosa que ayuda a interpretar el significado real de la comunicación.

Los componentes fisiológicos más estrechamente vinculados a la comunicación no verbal son:

— La respiración —frecuencia respiratoria.
— Las palpitaciones —frecuencia cardíaca.
— La sudoración.
— El flujo sanguíneo.
— La activación muscular.

* *Comunicación paraverbal:* a la hora de emitir un mensaje oral se producen una serie de variaciones en la forma de hacerlo que pueden afectar a su significado. Durante una conversación también obtenemos información valiosa a partir de:

— La voz —volumen, entonación, claridad, timbre.
— La fluidez verbal.
— Las perturbaciones del habla —pausas, silencios, vacilaciones.
— La velocidad de la emisión.
— El tiempo que se está hablando.

Podemos hablar también de diferentes niveles de comunicación según estén o no presentes los participantes en la comunicación. El más básico y directo es el diálogo cara a cara, bidireccional, en el que ambos interlocutores están físicamente presentes. Es una comunicación que posibilita la obtención de una retroalimentación inmediata, tanto verbal como no verbal.

La comunicación oral entre dos personas en la cual el interlocutor no está físicamente presente, como es el caso de la comunicación telefónica, nos permitiría disponer de feedback verbal, pero perderíamos gran parte de la información procedente del componente no verbal. En este caso, la adaptación al contexto también resulta especialmente complicada.

El nivel de comunicación que generalmente resulta más complejo es el de aquella comunicación unidireccional en la que el receptor recibe el mensaje de forma indirecta y diferida. Sería el caso de la comunicación escrita. El mensaje fluye en una sola dirección, sin posibilidad de readaptar o modificar su contenido ni de obtener una respuesta directa por parte del receptor. El contenido verbal, e incluso literal, del mensaje adquiere así un peso evidente.

LOS AXIOMAS DE LA COMUNICACIÓN

Paul Watzlawick, uno de los más conocidos estudiosos y analistas del tema, propone algunos axiomas de la comunicación que resumimos brevemente en este apartado:

1. No es posible no comunicarse

Incluso cuando alguien no desea comunicarse con nosotros, nos comunicará esto de algún modo, rechazando el contacto, poniéndose de espaldas, no respondiendo o guardando silencio. Comunicación y conducta están tan ligados que la no comunicación resulta imposible.

2. Cualquier comunicación muestra un aspecto de contenido —referencial— y un aspecto relacional —conativo

El contenido hace referencia a la información que se transmite. El segundo aspecto alude a la relación entre las personas que se están comunicando, y define, califica y permite interpretar adecuadamente el carácter del contenido. Veamos dos frases que aluden a un contenido muy similar pero que muestran diferentes relaciones entre los interlocutores:

— *«Conviene pulsar las teclas con suavidad».*
— *«Sigue golpeando las teclas y verás lo que te dura el portátil».*

3. La naturaleza de una relación depende de cómo los comunicantes puntúan la secuencia de comunicación

En la secuencia de intercambios comunicacionales entre dos personas, cada intervención de una de ellas supone un estímulo para la otra. Y cada persona pondrá el acento en determinados contenidos o momentos de dicha secuencia.

Si se analiza qué aspecto puntúa especialmente cada uno de los interlocutores se obtendrán diferentes atribuciones, perspectivas y explicaciones de un mismo hecho:

— *«Te hago tantas preguntas porque nunca me cuentas nada».*
— *«Casi no puedo contarte nada, porque no paras de sonsacarme con preguntas».*

Si grabásemos una discusión de pareja y escuchásemos posteriormente el contenido, probablemente encontraríamos que gran parte del conflicto surge por las diferentes puntualizaciones que cada uno hace de la secuencia de interacciones:

— *«La discusión comenzó justo cuando tú hablaste de mi madre...».*
— *«Eso no es así. Tú llevabas ya una hora reprochándome que...».*
— *«Ya desde que empezó la conversación tu tono era de reproche...».*
— *«Es que no quisiste responder cuando te pregunté que...».*

Nuestra comunicación no es un hecho aislado. Forma parte de una cadena o serie de interacciones, y tiene mucho que ver con las comunicaciones previas que se han ido estableciendo.

4. Los seres humanos establecen una comunicación tanto verbal —digital— como no verbal —analógica

Utilizamos una comunicación verbal, regulada por reglas sintácticas o gramaticales, y una comunicación no verbal, semántica. El contenido verbal es más preciso, más complejo, y permite una mayor abstracción. El componente no verbal puede resultar más ambiguo, pero a la vez ser especialmente clarificador.

La comunicación humana es posible gracias a que realizamos una traducción e interpretación de ambos mensajes, y consideramos de forma conjunta ambas informaciones. Si una persona asiente con la cabeza, podremos interpretarlo de forma diferente si sus palabras son «*¡Pues es verdad!*» o si exclama «*¡Ya, ya!*» con cierto retintín.

5. Los intercambios comunicacionales entre las personas tienen un carácter o bien simétrico, o bien complementario

Los intercambios simétricos se basan en la igualdad o similitud entre las personas que se comunican —grupo de amigos, compañeros de trabajo—. Los intercambios complementarios parten de una diferencia o desigualdad evidente entre las partes que establecen la relación —médico y paciente, madre e hijo, jefe y empleado—, o entre sus actitudes y conductas —bondad y maldad, imposición y sumisión, conocimiento y desconocimiento—. Este tipo de intercambio supone en general que una posición es superior y otra inferior.

PENSAMIENTO Y LENGUAJE. COMUNICACIÓN Y CONDUCTA

Nuestras palabras, nuestra imagen y nuestra conducta se convierten en nuestra *carta de presentación* ante los demás. Nos mostramos tal y como somos, transmitimos nuestras actitudes, comunicamos aquello que hay en nuestra mente, y lo hacemos según nuestro carácter y estado de ánimo. La forma en que nos expresamos habla sobre nosotros mismos.

El pensamiento y el lenguaje están estrechamente vinculados. Nuestras ideas se convierten en palabras. Utilizamos un lenguaje interior, un discurso interno, que determina en gran medida nuestros pensamientos y nuestro estado emocional. Las emociones a su vez modulan la conducta, por lo que, según la secuencia descrita, podemos entender que el lenguaje se convierte en el punto de partida de muchas acciones humanas.

PENSAMIENTO y LENGUAJE INTERIOR - EMOCIÓN - CONDUCTA

EL ENFOQUE SISTÉMICO

La comunicación sólo cobra sentido si se analiza y estudia dentro del *sistema* en el que tiene lugar, si se conoce el entramado de relaciones o los antecedentes de la misma. A falta de esa información, que da sentido al juego de interacciones entre las personas, el contenido de la comunicación puede resultarnos incomprensible e indescifrable. Sería un conjunto de datos carentes de sentido.

El ser humano forma parte de diferentes grupos humanos. Los entornos familiar, académico, social y laboral configuran sistemas diferentes en los que también desempeñamos papeles diferentes. Nuestra comunicación depende del sistema con el que interactuamos y del papel que desempeñamos en el mismo. ¿Me comunico de igual modo como padre, como docente, como amigo o como profesional? En entornos y con personas diferentes, es de esperar que la comunicación también sea diferente.

La misma persona puede expresarse de forma muy distinta en contextos diversos o en momentos diferentes. La cantidad y calidad de comunicación que emite puede variar sensiblemente según la persona o personas con las que esté interactuando, según el tipo de relación que haya establecido y mantenido previamente con ellas, o en función del tema que se aborda o incluso de la actividad que se está realizando. Casi todos hemos visto en alguna ocasión cómo algunas personas parecen cambiar bruscamente su forma de hablar al ponerse al volante de su automóvil, o cómo se muestran más o menos reservadas delante de determinadas personas.

En una de las entrevistas que mantuve con un matrimonio que asistía a terapia de pareja, le solicité a la mujer que se tomase libre la hora de sesión con objeto de poder mantener una entrevista individual con el marido. Ella afirmó asombrada: «*¿Se va a quedar a solas con él? Pero si mi marido prácticamente no habla nada*». Lo que tardó en salir la mujer del despacho fue prácticamente el tiempo que necesitó su marido para ponerse a hablar, iniciando un discurso casi sin interrupción, hasta concluir la hora de sesión. Cuando al final de la consulta llegó la mujer para reencontrarse con su marido, su comentario fue: «*¿Ha visto usted cómo prácticamente no habla? Ya se lo advertí*».

Nuestra conducta y nuestra forma de comunicarnos provoca reacciones en los demás; en algunos casos les animan a comunicarse mientras que en otros les hacen optar por el silencio y la discreción. En las dinámicas que se establecen en los grupos se puede observar que algunas personas se comportan de forma muy diferente, mostrándose más o menos comunicativas en función de las personas que están presentes en cada momento. Puede que no hablen cuando están en presencia de determinados miembros del grupo, y que se muestren locuaces cuando éstos no están, o en presencia de otras personas.

EL CONTEXTO

El contexto nos aporta las claves para entender la comunicación y la conducta. Sacar una frase de contexto puede alterar radicalmente el significado del contenido. La persona que recibe una información descontextualizada sólo tendrá acceso al contenido literal de las palabras, o a una serie de gestos o movimientos difíciles de interpretar.

Para entender una comunicación debemos tener en cuenta una gran cantidad de información complementaria que le da sentido:

- Quién habla.
- A quién se dirige.
- Cuál es la relación previa entre ambas partes.
- Cuál es el objetivo de la comunicación.
- En qué lugar se realiza.

La imagen de una persona quitándose la ropa, por ejemplo, no puede ser entendida de forma adecuada si no obtenemos más información: ¿está en el baño, en la playa, en el dormitorio, en una tienda de modas...? ¿Está sola, con su pareja, con un desconocido, con el médico...?

3

BARRERAS EN LA COMUNICACIÓN

«Hay quien cree contradecirnos
cuando no hace más que repetir su opinión
sin atender a la nuestra».

JOHANN WOLFGANG GOETHE

LOS RUIDOS

El proceso de comunicación comienza con la *percepción* del estímulo, y precisamente ahí es donde se produce el primer gran filtro. Los sesgos perceptivos son evidentes. El ser humano recibe los estímulos especialmente a través de la vista y del oído. Prácticamente el 90 por 100 del aprendizaje del ser humano se puede realizar a través de estos dos sentidos, mientras que el olfato, el gusto y el tacto aportan una información complementaria, que acapararía en torno al 10 por 100 restante.

Los ruidos físicos constituyen una de las barreras más básicas en la comunicación: las interrupciones, las interferencias, el ruido de un avión que pasa, un teléfono que suena en mitad de una conversación, el ruido de algún electrodoméstico, varias personas hablando a la vez.

Un volumen bajo a la hora de hablar, la presencia de algunos problemas de dicción o una vocalización imprecisa, un cierto déficit auditivo, son elementos a tener en cuenta que pueden dificultar o impedir igualmente la correcta recepción del mensaje.

EL SESGO PERCEPTIVO

En la comunicación interviene un filtro selectivo que resulta determinante. Seleccionamos aquellos contenidos que nos preocupan o interesan, y rechazamos el resto de la información. Es como un cedazo que sólo permite el paso a determinada información y rechaza otra. Algo así como si llevásemos unos auriculares que nos permiten escuchar sólo aquello que nos gusta.

¿Cuántas personas acudieron a la manifestación? Unos pueden responder que unas doscientas mil, mientras que otras aseguran que no bajaban del millón. La primera limitación con la que topamos al comunicarnos es la interpretación de un mismo estímulo.

Un grupo de amigos pueden ir juntos al cine y salir todos convencidos de haber visto la misma película, cuando eso no es del todo cierto. Cada uno habrá *seleccionado*, cribado y captado con más intensidad unos determinados detalles, habrá interpretado las diversas escenas y diálogos desde su propia experiencia, habrá desarrollado unas determinadas preferencias respecto a los personajes.

Las barreras psicológicas son muy poderosas. Creemos haber visto, leído o escuchado aquello que deseábamos ver, leer y escuchar. Resulta sorprendente la capacidad que tenemos los seres humanos para rechazar aquellos mensajes que no encajan en nuestro esquema mental previo. De igual modo es asombrosa nuestra predisposición para prestar atención a aquellas cosas que nos interesan y nos agradan.

Una anécdota real

CHULETAS Y PAELLAS

Un matrimonio viajaba en coche por una carretera casi desértica, bajo el calor sofocante del verano. Hacia más de una hora que deseaban parar para comer; el hambre estaba haciendo mella en sus estómagos y en sus sentidos.
Por fin, a lo lejos, distinguen unos edificios con un gran cartel.

— ¡Mira, Servando, aquel cartel!: «Chuletas y paellas».
— ¡Por fin, un sitio donde parar a comer!

> Se acercaron con su vehículo y, para su sorpresa, encontraron una valla publicitaria donde se podía leer con toda claridad el anuncio puesto por la inmobiliaria: «Chalets y parcelas».

LA PROYECCIÓN

Normalmente, en la comunicación proyectamos nuestra propia personalidad, nuestro propio estado de ánimo. Una persona que tiene una actitud especialmente negativa y pesimista suele seleccionar aspectos oscuros, centrarse en los problemas, los errores, las dificultades, los inconvenientes. Esa selección la puede aplicar tanto a los mensajes que recibe como a los que emite.

Con frecuencia consideramos que las demás personas piensan, sienten y actúan a partir de percepciones, emociones, motivos, preocupaciones, razones, hábitos o intenciones similares a los nuestros. Pero nos relacionamos y comunicamos con los demás desde nuestra propia personalidad, experiencias y puntos de vista.

Los lapsus, las confusiones que se suelen producir al hablar, delatan en muchos casos las verdaderas opiniones o preocupaciones de quien habla. Lo que hay en nuestra mente tarde o temprano acaba por salir de nuestros labios, o bien se transmite a través de gestos, miradas o acciones. En general resulta bastante complejo llegar a falsear la comunicación.

LAS MOTIVACIONES

Hay un dicho popular que afirma que la persona que tiene un martillo en la cabeza no ve más que clavos. Nos puede servir como excelente descripción de uno de los filtros mentales más importantes.

Podemos pasar un buen rato atendiendo a medias a una conversación hasta el momento preciso en que se empieza a hablar de algún aspecto que nos preocupa o interesa especialmente. Los seres humanos tienden a prestar atención cuando se les habla de temas que se ajustan a sus *motivaciones* y prioridades:

- Un niño escuchará especialmente si se le habla de juguetes.
- Un trabajador no perderá detalle sobre la información relativa a la subida salarial prevista para el año próximo.
- Los alumnos pueden permanecer prestando una atención relativa al profesor hasta que le escuchan pronunciar la palabra «examen», que suele interesar a la mayoría.
- Una persona que asiste a una charla cuyo contenido no es especialmente interesante, y cuya duración resulta excesiva, prestará especial atención cuando oiga «...y ya para terminar».
- El sexo es una temática que frecuentemente capta con facilidad la atención del ser humano; los expertos en publicidad lo tienen muy en cuenta.

LA SUBJETIVIDAD

Podemos observar a diario la importante carga de subjetividad que acompaña al uso del lenguaje. Utilizamos habitualmente las palabras para hacer alusión a realidades que consideramos prácticamente universales. Podemos preguntarnos sorprendidos: *«¿Me lo vas a decir a mí, que lo vi con mis propios ojos?»*.

Constantemente estamos interpretando la realidad desde nuestra óptica personal. Pensamos que lo que nosotros percibimos es percibido de igual modo por todas las personas. Eso en realidad no es cierto. Nuestras percepciones pueden aproximarse, pero en ningún caso serán iguales. La percepción es selectiva y subjetiva. Percibimos, pensamos, sentimos y actuamos de forma diferente. Y una misma palabra puede tener significados o matices muy diferentes para distintas personas.

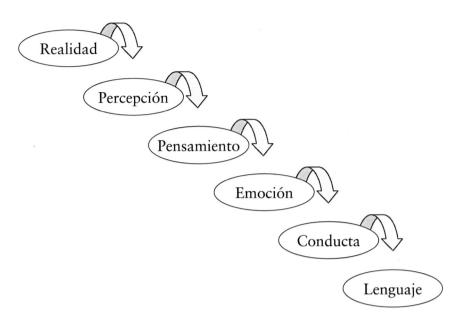

El lenguaje revela cómo cada individuo procesa de manera diferente la información procedente de su entorno

Un ejemplo de subjetividad en el lenguaje lo encontramos en aquellos casos en los que se abusa de expresiones que denotan expresamente una valoración, una calificación o una evaluación, o en aquellas descripciones en las que se introduce cierta exageración. El uso de adjetivos que expresan cualidades —«*un buen trabajo*»—, realizan comparaciones —«*más fuerte que*»— o introducen superlativos —«*el mejor de todos*»—, o la utilización frecuente del verbo ser —«*eres un tonto*»—, suelen ser propios de ese lenguaje valorativo.

PREJUICIOS, ESTEREOTIPOS, CATEGORIZACIONES

Hay una frase que se atribuye a Albert Einstein que afirma que «es más fácil desintegrar un átomo que un prejuicio». Cualquier comunicación o información tiende a ser interpretada según nuestro conocimiento de la fuente de la que provenga, y de la idea previa que nos hayamos formado acerca del contenido o de la persona de la que procede.

Las personas nos diferenciamos unas de otras en determinadas características, y esas diferencias nos van permitiendo elaborar diversas categorías, que asignamos a cada individuo generalmente a partir de ciertas similitudes que presenta con esa idea previa.

Nos comunicamos a partir de los juicios previos que hemos ido realizando y que nos han servido para explicar, conformar y dar sentido a la realidad, y que de algún modo también nos han permitido interactuar con el entorno. Lo que por un lado puede suponer una ayuda y un notable ahorro de energía, al evitar tener que catalogar una y otra vez estímulos similares, se convierte también en un problema a la hora de tener que descatalogar alguna característica que teníamos perfectamente clasificada y etiquetada. Los estereotipos que elaboramos a veces sobre determinadas personas o colectivos son filtros poderosos que nos hacen recibir la información intentando encajarla dentro del cliché.

LAS EXPECTATIVAS

Las expectativas resultan muy poderosas en la comunicación, ya que se transmiten sutilmente entre los comunicantes. Si una persona está convencida de que su mensaje va a ser rechazado, probablemente transmita esa expectativa y se encuentre con el rechazo previsto. Los juicios emitidos a priori pueden acabar así convertidos en profecías autocumplidas.

LOS ESLABONES

Cuando la información va pasando de una persona a otra como si se tratase de una cadena, la probabilidad de que se deforme el contenido se incrementa de forma alarmante. El mensaje tiende a ir desfigurándose en cada nueva transmisión, hasta quedar en algunos casos irreconocible, llegando incluso a perder su sentido original.

LAS INTERRUPCIONES

La comunicación puede verse afectada cuando se producen interrupciones, como es el caso de una conversación externa, la incorporación de una nueva persona a la conversación que se estaba manteniendo, o una llamada telefónica.

Las interrupciones también pueden producirse voluntariamente cuando, por ejemplo, la persona que estaba escuchando detiene el discurso de su interlocutor, anticipándose a lo que éste iba a decir, o para introducir un matiz o un giro en la conversación.

PRESUPONER

Un error que cometemos con cierta frecuencia consiste en dar por cierto aquello que está por verificar, que puede resultar aparente, que se presupone que es así. Cuando nos comunicamos partimos de muchos supuestos, pero con frecuencia no nos ocupamos de contrastarlos. A veces damos por hecho que nuestro interlocutor habla nuestro idioma, entiende nuestro vocabulario, sabe de lo que hablamos, dispone de cierta información previa y conoce los antecedentes.

Un eficaz antídoto viene de la mano del feedback; podemos preguntar, escuchar y utilizar la empatía.

REALIZAR INFERENCIAS

Es probable que, a partir de un fragmento de comunicación, nos anticipemos al resultado y lleguemos de un modo precipitado a conclusiones equivocadas que no se derivan de la información que nos han transmitido. Podemos así escuchar secuencias de comunicación alteradas:

— *«No te preocupes, no te pongas nervioso...».*
— *«Pero si yo no estoy preocupado ni nervioso».*

Tal vez no esté nervioso todavía, pero es probable que no tarde mucho en estarlo si la conversación sigue por esos derroteros.

Hacemos suposiciones con demasiada frecuencia, y las comunicamos sin ser conscientes de las implicaciones que pueden tener en el futuro de la relación:

— *«Últimamente hablamos menos... Eso es porque ya no me quieres».*

Una expresión de este tipo puede crear, a partir de una inferencia, una realidad nueva que probablemente podría acabar perjudicando a la relación.

EL ARGOT

El uso de términos técnicos o científicos, utilizados habitualmente en determinados entornos sociales o profesionales, hace que estas palabras se interioricen hasta formar parte de nuestro vocabulario habitual. Muchas de estas palabras resultan sin embargo desconocidas para aquellas personas que no comparten las mismas actividades o que no disponen del mismo nivel de formación.

De algún modo, el empleo de esos términos técnicos muestra cierta falta de empatía por parte del emisor, y genera en el receptor una cierta sensación de inferioridad. Un notario puede estar hablando a sus clientes de la nuda propiedad, por ejemplo, sin dar más explicaciones al respecto, y tal vez observe que éstos le miran con cara de asombro, o incluso asintiendo con la cabeza, pero sin saber de qué se les está hablando.

EL DOMINIO DEL LENGUAJE

El lenguaje es una herramienta cuyo dominio contribuye a garantizar la eficacia de la comunicación. Un escaso dominio del lenguaje puede dificultar la comunicación de aquellas ideas o emociones que uno desea transmitir. La traducción de esos contenidos y su conversión en palabras, oraciones y párrafos adecuados es lo que para algunas personas puede resultar más complicado. En muchos casos la persona puede incluso optar por guardar silencio, por miedo a parecer inculto.

RESPUESTAS EMOCIONALES

Cuando nos comunicamos con los demás no siempre tenemos el mismo estado de ánimo. Los intercambios comunicacionales que se establecen entre las personas requieren del control y el manejo adecuado de las emociones. La comunicación tiene mucho que ver con la educación, y ésta con el autocontrol.

Mostrar abiertamente y de forma exagerada las respuestas emocionales puede levantar una de las barreras más decisivas en la comunicación. Cuando una persona muestra hacia su interlocutor desconsideración, o se manifiesta nerviosa o agresiva, puede generar procesos que bloquean la recepción de información y el flujo de comunicación. Una persona que grita, o que por contra habla excesivamente bajo, murmurando, cuchicheando, mascullando algo entre dientes, está colocando una barrera especialmente difícil de salvar.

Los intercambios de comunicación se ven afectados por las reacciones emocionales cuando éstas son desproporcionadas. Una respuesta del tipo «*Desde luego, cómo te pones por nada*» puede provocar una verdadera desconexión entre las personas que mantenían la conversación, y hacer estallar aún más la carga emocional del emisor, que puede sentir que no ha sido escuchado, que no ha sabido explicarse con suficiente claridad, o que sus razones y motivos no han sido comprendidos.

EXCESO O DEFECTO EN LA CANTIDAD DE INFORMACIÓN

Las palabras son como las medicinas, beneficiosas en la cantidad y dosificación adecuadas. Una explicación prolija, sobrecargada, que presenta una cantidad excesiva de información, puede desbordar la capacidad de recepción y comprensión del receptor.

Algunas personas tienen cierta dificultad para seleccionar lo esencial del contenido y transmitirlo de una forma estructurada pero breve. Así, se pierden en largas disertaciones y explicaciones que animan al receptor a desconectar en cuanto tiene ocasión. Recuerdo una interesante definición que afirmaba que «pelmazo es aquella persona a la que le preguntas cómo está, y va y te lo cuenta».

— «*Hola, ¿qué tal estás?*»
— «*Pues verás que te cuente... pero eso no es todo... y además... pero es que luego...*».

Saber distinguir entre una pregunta de cortesía y otra formulada en el contexto de un diálogo más tranquilo es una cuestión básica de habilidad social.

A la inversa, puede ocurrir que nos encontremos ante una disertación pobre o vacía de contenido, en la que se repiten contenidos, o se habla por hablar sin pretender decir nada en concreto. Algunas personas desarrollan cierta habilidad para transmitir la sensación de que han dicho algo con sentido, o respondido con coherencia a una pregunta, cuando en realidad su discurso ha estado lleno de palabras vacías que no aportaban información.

SUPERIORIDAD E INFERIORIDAD

Las relaciones asimétricas, verticales o desiguales entre los seres humanos tienden a mostrar a una de las partes como superior a la otra. El emisor puede desempeñar en la comunicación el papel de director, de jefe, de experto, de entendido, de consejero, de padre. Esa jerarquía impide habitualmente el intercambio comunicacional en igualdad de condiciones.

COMUNICACIONES PARADÓJICAS

Algunas frases transmiten mensajes contradictorios, cerrados en sí mismos y carentes de lógica. Algunas órdenes expresadas de esta forma resultarían imposibles de cumplir, como en el caso de la clásica paradoja *«¡Sé espontáneo!»*. Resulta difícil ser espontáneo cuando te lo están ordenando; la propia frase te impide la espontaneidad. La orden queda cerrada en sí misma, sin posibilidad de ser cumplida.

«Atención, no lea esta frase».

Muchas comunicaciones que podemos calificar como patológicas o patógenas pueden transmitir negatividad, sensación de impotencia o desvalorización personal. Veamos el siguiente ejemplo: Una madre regala a su hijo dos pantalones, uno de pana y otro vaquero. El hijo, entusiasmado con los regalos, hace algún halago sobre uno de ellos: *«Éste es el vaquero más fantástico que he visto»,* a lo que responde la madre lamentándose con tristeza: *«¿Entonces el de pana no te gusta?».* La sensación de indefensión y de culpabilidad que puede generar este tipo de comunicación es evidente.

FALLOS EN LA ESCUCHA

Si deseamos mejorar nuestra comunicación nos deberíamos plantear la siguiente cuestión: ¿Sabemos realmente escuchar? Es posible que prestemos verdadera atención sólo cuando el tema nos interese. Y si eso es así, podríamos concluir que probablemente una persona curiosa, con una mentalidad abierta, interesada en aprender de diversos campos y en conocer diferentes puntos de vista, probablemente sepa escuchar mejor. Escuchar es una cuestión de actitud y de predisposición.

Saber escuchar va mucho más allá de entender las palabras, limitándose a su significado literal. Una persona puede estar poniendo verde al árbitro del partido de fútbol cuando en realidad a quien no puede soportar es a su jefe, al que tiene que ver al día siguiente por la mañana. Esto no implica que para escuchar tengamos que pasarnos todo el día interpretando qué es lo que los demás quieren decir realmente. Pero escuchar exige de algún modo estar pendiente de la otra persona, entender su diálogo en un contexto mucho más amplio, vivir su experiencia a partir de sus palabras, ver el mundo a través de su mirada, sentir cómo experimenta sus emociones. Todo esto implica de algún modo olvidarse momentáneamente de uno mismo para centrarse en el otro.

Recuerdo un anuncio de una famosa bebida en el que una chica llamaba a su madre por teléfono explicándole toda una serie de motivos académicos por los que iba a tener que llegar tarde a casa. Al colgar el teléfono el padre preguntaba quién había llamado y qué ocurría, a lo que la madre respondía con un tono sereno y comprensivo: «*Nada, la niña, que se ha enamorado*». Escuchar es una acción que trasciende al sentido literal de las palabras, que va más allá de lo aparente, intentando llegar al fondo de la cuestión.

ESCUCHARSE A SÍ MISMO

Aunque se suelen emplear ambos términos, no es lo mismo oír que escuchar. Utilizamos el verbo oír para referirnos a la percepción de sonidos a través del oído, haciendo alusión al componente más fisiológico. Escuchar implica prestar atención a lo que se oye, hacerse cargo de lo que nos están diciendo. A veces nos escuchamos a nosotros mismos cuando nos están hablando, o incluso mientras hablamos.

Hay un lenguaje interior, que en oraciones se manifiesta como una cascada de pensamientos, y que puede dificultar la escucha activa. Y, de igual forma, podemos hablar más atentos a nuestro propio discurso, a las palabras, a la forma, y a nosotros mismos, hasta el punto de llegar a desatender cómo está siendo recibido el mensaje por nuestro interlocutor.

A veces nos resulta más fácil desconectar de una conversación que intentar seguir el hilo de la misma. Mientras habla el interlocutor es posible que estemos incluso asintiendo con la cabeza, cuando en realidad lo que estamos haciendo es reafirmarnos en nuestros propios pensamientos, calculando o decidiendo qué argumentos vamos a esgrimir cuando nos llegue el turno de intervenir. Somos capaces de «escuchar» una conversación más atentos a nuestros propios problemas y preocupaciones que a lo que nos están contando. Lo que realmente escuchamos es nuestro lenguaje interior.

LENGUAJE DICOTÓMICO

A través del lenguaje se puede intentar simplificar las realidades o los argumentos hasta dejarlos reducidos a dos polos extremos y contrapuestos: *sí o no, buenos o malos, conmigo o contra mí, blanco o negro, me quieres o no.* De este modo, a través del discurso se proponen dos opciones contrapuestas y exclusivas, cerrando las puertas a contemplar toda una gama de posibilidades intermedias.

DESINTERÉS

A veces las partes implicadas en el proceso de comunicación no están realmente interesadas en el contenido u objetivo de la misma. No desean realmente comunicarse. La falta de interés tanto por parte del emisor como por parte del receptor puede dificultar o imposibilitar la transmisión de información. Una persona que no tiene especial interés en comunicarse difícilmente logrará captar el interés de su interlocutor.

EGOCENTRISMO

El abuso del pronombre personal «yo» puede revelar en ocasiones un distanciamiento, una autoafirmación, una necesidad de marcar diferencias. Un discurso articulado a partir de la repetición de expresiones como *«yo pienso…, yo siento…, yo sé…, yo hago…, yo digo…».* puede ser rechazado, dando la impresión de que la persona desprecia, minusvalora o rechaza aquellos puntos de vista, emociones, conocimientos, conductas o expresiones que no coinciden con los suyos. Un emisor empeñado en convertirse de forma sistemática en el centro de cualquier conversación puede acabar por tener que mantener conversaciones consigo mismo.

GENERALIZACIONES

La utilización de términos absolutos o generalizaciones suele derivar en afirmaciones y sentencias generalmente erróneas. Algunos ejemplos ilustran esta afirmación: *«Todos los hombres sois iguales», «Nunca me haces caso», «Nada merece la pena», «Siempre llegas tarde», «Es absolutamente cierto».*
En las frases anteriores se toma como referencia uno o varios elementos, hechos o personas, para, a partir de algún elemento común, compartido o frecuente, llegar a la conclusión de que todos

los casos son similares. Los términos «siempre», «nunca», «todo», «nada», «todos», «ninguno», están en el origen de muchas discusiones.

CULPABILIZACIÓN

La culpabilidad puede ser una poderosa herramienta de control. Determinadas expresiones tienden a culpabilizar a la persona que las utiliza, al destinatario del mensaje o incluso a un tercero:

— *«Por tu culpa...».*
— *«Toda la culpa es mía».*
— *«Con lo que hacemos por ti...».*
— *«Tú eres el responsable de todo lo que ha ocurrido».*

Este tipo de frases tiende a obviar otros muchos factores o motivos que pueden estar implicados o relacionados con la cuestión de la que se está tratando. Además de personalizar y cargar la responsabilidad en un solo individuo, ahonda en el carácter determinista de los acontecimientos, sin mencionar otros factores, o incluso aspectos positivos, como sería el caso de los posibles aprendizajes que se han derivado de dicha situación, o las posibles alternativas de solución.

ACTITUDES DEFENSIVAS O DE CONTRAATAQUE

En ocasiones nos dirigimos a los demás con la expectativa de que vamos a obtener una negativa, vamos a ser rechazados, o nuestros argumentos o nuestra persona van a ser puestos en entredicho. Hablamos a la defensiva, y pensamos constantemente cómo vamos a responder a los argumentos que se nos están presentando. La conversación transcurre así más pendientes de cómo vamos a defender nuestras ideas y a destruir las del interlocutor

—convertido en este caso en adversario—, que dejando fluir el diálogo de una forma natural.

EXIGENCIAS E IMPERATIVOS

El contenido de algunos mensajes está plagado de obligaciones, deberes, imperativos, órdenes, exigencias. Éstos vienen marcados habitualmente por expresiones del tipo: *«Tienes que...»*, *«Debes...»*, *«Te prohíbo...»*, *«Es obligatorio...»*, *«Te exijo...»*. En este tipo de discurso se advierte o se fuerza al interlocutor a seguir un único camino, negando o rechazando otras alternativas o direcciones posibles. ¿Qué tal nos sentiríamos si constantemente estuviésemos escuchando frases como las siguientes?:

— *«Debes dejar de fumar».*
— *«Tienes que dedicar más tiempo a la familia».*
— *«Te exijo una explicación».*
— *«Haz lo que te digo».*

LENGUAJE NEGATIVO Y OPOSICIÓN SISTEMÁTICA

La utilización, ya sea puntual o reiterada, de expresiones negativas, puede acabar por agotar la conversación en sí misma. A falta de alternativas, de posibilidades, de soluciones, en definitiva de energía, el receptor termina por desconectar de una charla que puede acabar resultándole muy tóxica.

Las palabras negativas que suelen repetirse de forma más habitual son: *«no, problema, mal, nunca, imposible, peor, malo, dificultades, defectos, errores».*

El discurso de algunas personas parece haber sido diseñado para negar todo aquello que diga su interlocutor. Aun cuando el mensaje de éste pueda ser parcial o incluso totalmente cierto, reciben como respuesta un «*no exactamente*» que acaba por generar el lógico rechazo en el receptor, que ve cómo todas sus aportaciones son negadas o rechazadas repetidamente.

En algunos casos la oposición sistemática encubre una cierta inseguridad personal, una cierta rigidez, un rechazo al cambio.

OTROS FILTROS

Existe una relación muy estrecha entre algunos de los filtros que hemos mencionado en este apartado. Y de forma implícita, en algún caso se han dejado entrever algunas barreras de la comunicación que pueden ser igualmente poderosas:

- La falta de tacto y habilidad social.
- La falta de respeto a unas mínimas normas básicas de educación y convivencia.
- La dificultad para adaptar nuestro mensaje a la realidad del receptor.
- La falta de empatía.
- La inadecuación al contexto.
- La excesiva atención a la forma —palabras, gestos— restando atención al contenido.

LA TRANSMISIÓN DE LAS INFORMACIONES

Esta conocida anécdota, que en alguna ocasión escuché relatar al humorista Eugenio con la seriedad que le caracterizaba, y en la que aparecen los miembros de un ejército un tanto peculiar, ilustra cómo se deforma progresivamente el mensaje cuando existen varios intermediarios que se van pasando la información de unos a otros.

- El Coronel le dice al Comandante:

Mañana a las 9 de la mañana se va a producir un eclipse de sol. Dado que se trata de un acontecimiento que no ocurre todos los días, que formen los soldados en el patio, en traje de campaña, para contemplar el fenómeno. En caso de que llueva, las nubes nos impedirían verlo, por lo que los soldados deberán formar en el gimnasio.

- El Comandante se dirige al Capitán:

Por orden del Señor Coronel, mañana a las 9 habrá un eclipse de sol en el patio. Si llueve, como no se verá nada, el eclipse en traje de campaña tendrá lugar entonces en el gimnasio, que es un hecho que no ocurre todos los días.

- El Capitán ordena al Teniente:

Por orden del Señor Coronel, mañana a las 9, en traje de campaña, inauguración del eclipse de sol en el gimnasio. El Señor Coronel dará las órdenes oportunas de si debe llover, hecho que no ocurre todos los días. Si hace buen tiempo el eclipse tendrá lugar en el patio.

- El Teniente le comunica al Sargento:

Mañana a las 9, por orden del Señor Coronel, lloverá en el patio del cuartel. El Señor Coronel, en traje de campaña, dará en el gimnasio las órdenes oportunas para que el eclipse se celebre en el patio.

- El Sargento le transmite al Cabo:

Mañana a las 9 tendrá lugar el eclipse del Señor Coronel, que irá en traje de campaña, por el efecto del sol. Si llueve en el gimnasio, hecho que no ocurre todos los días, se saldrá al patio.

- El Cabo informa a los Soldados:

Mañana, a eso de las 9 parece ser que el sol, en traje de campaña, eclipsará al Señor Coronel en el gimnasio. Lástima que esto no ocurra todos los días.

4
COMUNICACIÓN VERBAL

*«El arte de persuadir consiste
tanto en el de aceptar
como en el de convencer».*

BLAS PASCAL

EL LENGUAJE Y SUS FUNCIONES

El lenguaje es la principal herramienta de comunicación que utilizamos los seres humanos. Está compuesto esencialmente por un sistema de signos orales y escritos que poseen un significado concreto que permite a las personas comunicarse entre sí. Hay estimaciones que cifran en torno a tres mil el número de lenguas o dialectos diferentes que hay en el mundo.

Con frecuencia se suele hacer alusión al lenguaje como al conjunto de sonidos articulados con los que podemos expresar y manifestar lo que pensamos y sentimos. En un sentido más amplio podemos afirmar que es cualquier procedimiento que nos sirva para comunicarnos.

Las funciones que cumple el lenguaje son diversas. Podemos diferenciar entre las siguientes:

- *Representativa:* a través de frases afirmativas o interrogativas podemos afirmar o preguntar.
- *Expresiva:* nos permite manifestar sentimientos; por ejemplo, mediante interjecciones o frases exclamativas.
- *Conativa:* tiene como objetivo influir sobre el receptor; una frase imperativa cumpliría esta función.
- *De contacto:* regula y facilita la continuidad de la comunicación; por ejemplo: «sí», «ahá», «ya», «mmm»...

- *Metalingüística:* permite analizar y hablar sobre el propio lenguaje; por ejemplo, preguntando sobre el significado de las palabras.
- *Estética:* centra su atención sobre el mensaje, buscando la belleza y la expresión artística; por ejemplo, mediante el uso de recursos literarios.

La información que transmitimos al comunicarnos con los demás debe cumplir algunos requisitos para resultar adecuada. El contenido debe ser:

1. *Relevante:* importante o significativo para el tema que se está abordando.
2. *Suficiente:* la cantidad necesaria, ni excesiva ni demasiado escueta.
3. *Adecuado:* en cuanto a su estructura, orden y claridad.
4. *Preciso:* aportando información correcta, fiable y veraz.

LA ESTRUCTURA DEL LENGUAJE

Noam Chomsky, reputado lingüista estadounidense, realiza un análisis que diferencia cuatro componentes principales del lenguaje, y que derivan a su vez en cuatro áreas concretas de estudio:

- *Fonológico* o fonético: estudia los sonidos articulados del habla, las letras, los fonemas y los sonidos que pronunciamos.
- *Sintáctico* o gramático: las oraciones se construyen a partir de la unión y coordinación de palabras. Se centra en el análisis y la corrección gramatical de la oración.
- *Semántico:* los diferentes signos lingüísticos tienen un significado, lo que implica un acuerdo previo entre emisor y receptor sobre el mismo.

- *Pragmático*: el lenguaje debe entenderse en relación con las personas que se comunican y las circunstancias en las que se produce dicha comunicación. Los significados deben ser analizados y entendidos dentro de un contexto personal, cultural y social.

LA CONSTRUCCIÓN SINTÁCTICA

La gramática y la pragmática interactúan. Las diferentes formas de construir el mensaje pueden determinar también significados diferentes:

— «*Javier rechazó el envío*».
— «*Fue Javier quien rechazó el envío*».
— «*El envío fue rechazado por Javier*».
— «*Fue el envío lo que rechazó Javier*».

Si probamos a cambiar el orden de las palabras que componen cualquier frase obtendremos combinaciones que pueden producir resultados, efectos y sensaciones diferentes.

- Un astro luminoso recorrió el cielo.
- Un luminoso astro el cielo recorrió.
- El cielo recorrió un luminoso astro.
- Recorrió el cielo un astro luminoso.
- Un astro luminoso el cielo recorrió.
- Un luminoso astro recorrió el cielo.
- El cielo recorrió un astro luminoso.
- Recorrió el cielo un luminoso astro.

LA SEMÁNTICA. EL SIGNIFICADO DE LAS PALABRAS

El componente semántico del lenguaje nos muestra diferentes posibilidades relativas al significado de las palabras:

- *Monosemia:* caso en el que una palabra o significante tiene un solo significado. Ejemplo: «libro».
- *Polisemia:* la misma palabra puede tener varios significados. Ejemplos: «banco», «goma».
- *Sinonimia:* varias palabras tienen un significado similar. Ejemplo: «compromiso, obligación, deber».
- *Antonimia:* las palabras presentan significados opuestos. Ejemplo: «arriba, abajo».
- *Homonimia:* palabras fonéticamente similares, pero con origen y significados diferentes. Ejemplo: «hola, ola».

La polisemia merece especial atención cuando se trata de asegurar la eficacia de la comunicación. Es esencial verificar el significado que cada persona atribuye o está dando en un determinado momento a cada palabra. Si nos preguntamos por el significado del término *discriminar*, por ejemplo, veremos que admite diversas interpretaciones que pueden dar lugar a confusión. Por un lado puede interpretarse como diferenciar, seleccionar o discernir, pero también puede utilizarse como separar, apartar o excluir.

PRAGMÁTICA DEL LENGUAJE

La pragmática es un área especialmente interesante de estudio del lenguaje. Las frases pueden tener una composición y un significado muy diferentes según el contexto en el que se utilizan.

Podemos observar que la interpretación literal del contenido expresado, sin tener otros aspectos en cuenta, llevaría a más de una confusión, como en el ejemplo siguiente:

— «*Por favor, ¿tiene hora?*».
— «*Sí*».

Otras variantes de la pregunta —«*Por favor, ¿podría decirme qué hora es?*», o «*¿Sabe qué hora es?*— podrían dar lugar a una respuesta similar a la anterior. En el ejemplo, el receptor da una respuesta que se ajusta al sentido *literal* de la pregunta, pero no interpreta la verdadera intención del emisor, que sin duda deseaba una respuesta no tan «precisa» y sí algo más práctica. En realidad el emisor pretendía preguntar algo tan simple como:

— «*Por favor, ¿qué hora es?*».
— «*Son las siete y diez*».

Del mismo modo cabe preguntarse si hablamos de igual modo en un entorno familiar, utilizando un lenguaje *coloquial*, o en un contexto más *formal*. Los mensajes que utilizamos en un caso y otro son bastante diferentes. Lo que en un ámbito familiar de confianza podría reducirse a «*sube la tele*», en presencia de una visita podría reconvertirse en la siguiente frase: «*Por favor, ¿puedes subir el volumen del televisor?*».

Tal y como comentábamos anteriormente, también interpretamos la comunicación *no verbal* dentro de su contexto preciso.

LAS POSIBILIDADES DEL LENGUAJE

«*Ser el menos alto*» equivale en realidad a «*ser el más bajo*», pero el efecto que produce una frase u otra es bastante diferente. A la hora de utilizar el lenguaje conviene explorar todas las posibilidades que éste nos ofrece.

Los humoristas suelen aprovechar los recursos lingüísticos con bastante acierto. Con muy pocas palabras consiguen lograr el efecto deseado. Veamos un ejemplo:

— *«¿Sabes cuál es la diferencia entre ignorancia e indiferencia?».*
— *«Ni lo sé ni me importa».*

Un chiste breve puede, con un mínimo de palabras, despertar una sonrisa, provocar la sorpresa, incluso llevar a reflexiones que van mucho más allá del contenido literal expresado.

A partir de un breve diálogo, escuchando el contenido de una conversación entre dos personas, podemos hacer inferencias sobre su personalidad, o sobre el tipo de relación que ya tenían establecida, que acaban de entablar, o que podrían mantener en el futuro.

LA FORMA EN QUE SE DICEN LAS COSAS

La palabra tiene mucho poder. Puede ser bella, pero también puede resultar peligrosa. Puede tener el efecto de un bálsamo, ser un detonante o utilizarse como un arma. Puede curar o herir, hacer crecer o destruir. Y la palabra es poderosa en sí misma, pero especialmente por cómo la utilizamos, por la forma en que decimos las cosas.

Si intentamos pronunciar la palabra *«tranquilízate»* de diferentes formas, veremos que el efecto que produce puede ser radicalmente opuesto, llegando incluso a contradecir al significado de la palabra. Podemos emplear entonaciones diferentes. Un tono sereno, seguro, cercano, confidencial y amistoso, tenderá a producir el efecto deseado. Sin embargo, si utilizamos un tono imperativo, de autoridad, firmeza, exigencia o ansiedad, probablemente obtendremos el efecto contrario. Habremos conseguido poner más nerviosa a la persona a la que paradójicamente queríamos tranquilizar.

Resultaría chocante pronunciar alguna frase cariñosa —por ejemplo, *«¡Cuánto te quiero!»*— a la vez que intentamos reflejar y mantener un gesto de rabia, odio o agresividad, con la mandíbula rígida y los dientes apretados, lanzando una mirada fría y desafiante, y utilizando un tono de voz seco y cortante.

¿Es importante la forma? Sin duda. Hay un refrán que viene a decir algo así como *«Si domas a tu caballo a gritos, no esperes que te escuche cuando le hables»*. La forma en que nos expresamos dota de un significado preciso a las palabras, y acaba por determinar el carácter de nuestras relaciones interpersonales.

Nuestros interlocutores habituales se van habituando a nuestra peculiar manera de expresarnos, hasta llegar a tener unos ciertos criterios que les permiten interpretar adecuadamente nuestros mensajes. Si escucho a una persona por primera vez, hablando a un cierto volumen elevado, puedo interpretar sus palabras de una determinada forma —seguridad, irritación, autoridad—, mientras que si ya he mantenido anteriormente varios contactos con esa persona, y observo que sistemáticamente y en diferentes circunstancias tiene el hábito de hablar en voz alta, podré interpretar con más precisión el contenido y el sentido de su mensaje.

DISTINTOS TIPOS DE FRASES

Podemos hablar básicamente de oraciones *enunciativas*, *exclamativas* o *interrogativas*, según manifiesten un enunciado, expresen una emoción o formulen una pregunta. A su vez, podríamos subdividir las oraciones enunciativas en tres tipos diferentes: *expositivas*, *imperativas* y *desiderativas*, según incluyan una información, una orden o un deseo.

Desde una perspectiva práctica vamos a analizar las posibilidades y diferencias que presentan los siguientes tipos de frases:

Diversos tipos de oraciones

Simples	Compuestas
Positivas	Negativas
Activas	Pasivas
Específicas	Genéricas
Personales	Impersonales
Inequívocas	Ambiguas

- *Simples:* incluyen una sola idea principal, lo que permite resaltar y subrayar de una forma especial el contenido. Por ejemplo: *«La capacidad de trabajo de Roberto es admirable».*
- *Compuestas:* incorporan varias ideas, por lo que éstas quedan menos destacadas. Un contenido negativo puede quedar suavizado si lo incluimos en una frase compuesta, acompañado a su vez de un mensaje positivo. Por ejemplo: *«Aunque no ha recibido formación, la capacidad de trabajo de Roberto es admirable».*
- *Positivas:* dirigen su atención hacia aspectos y contenidos positivos, expresados a través de afirmaciones. Por ejemplo: *«La negociación puede continuar mañana».*
- *Negativas:* presentan el contrapunto a las frases positivas, utilizando especialmente la negación. Por ejemplo: *«No se llegó a ningún acuerdo».* Se puede observar que el contenido de la frase es muy similar a la anterior. En ese caso nos quedaba una impresión positiva y esperanzadora, mientras que en éste nos puede dejar una sensación de problema, ineficacia, conflicto y ruptura.
- *Activas:* aquellas en las que el sujeto es quien realiza la acción del verbo. Son más fáciles de entender y de asimilar, y otorgan una especial relevancia y protagonismo al sujeto de la oración. Por ejemplo: *«Miguel ha hecho un buen trabajo».*
- *Pasivas*: en ellas la acción del verbo recae sobre el sujeto. Resultan más complejas y difíciles de asimilar, y pueden igualmente suavizar determinados contenidos negativos. Por ejemplo: *«Las diferencias no han sido reducidas».*
- *Específicas:* aportan una información precisa, delimitando o definiendo el contenido de una forma más clara, y aportando datos concretos. Por ejemplo: *«Está previsto incrementar los ingresos en un siete por ciento para el año próximo».*
- *Genéricas:* ofrecen menos precisión en la información. Determinados contenidos pueden quedar suavizados mediante el uso de frases más generales. Por ejemplo: *«Le deseamos una pronta mejoría»,* es una frase que no especifica

la enfermedad o dolencia de la que se está hablando, lo que evita hacer hincapié en la misma.

- *Personales:* permiten individualizar, particularizar, destacar el papel o la implicación de un sujeto particular en la oración. Por ejemplo: *«Opino que esa oferta es aceptable»*.
- *Impersonales:* en ellas, una determinada acción no se aplica a un sujeto en particular. Los tiempos infinitivo, gerundio o participio no son realizados por nadie; algunos verbos sólo se conjugan en tercera persona del singular. Por ejemplo: *«Llueve»*, *«Llaman al timbre»*, *«Podría decirse que la oferta es aceptable»*. El sujeto de la oración no queda determinado, con lo que la frase carece de la implicación personal que transmitía en el caso de las oraciones personales.
- *Inequívocas:* frases que sólo presentan una interpretación posible. Por ejemplo: *«El profesor castiga a Fernando porque se ha portado mal»*.
- *Ambiguas:* expresiones que pueden entenderse de varios modos, admitir interpretaciones diversas, dando lugar a posibles confusiones o dudas acerca del significado real de la frase. Por ejemplo: *«El juguete fue encontrado roto por su hermano»*, *«El profesor castiga a Fernando porque es malo»*. El calificativo «malo» se podría atribuir tanto a Fernando como al profesor.

PALABRAS Y EXPRESIONES QUE PUEDEN DIFICULTAR LA COMUNICACIÓN

Muchas palabras de uso corriente pueden causar rechazo si se abusa de ellas, si se utilizan en un contexto inapropiado, o por el tono inadecuado con el que se pronuncian. Si revisamos nuestras reacciones ante la comunicación de los demás nos damos cuenta de que hay algunos términos que nos causan cierto rechazo.

Como vimos anteriormente al referirnos a las principales barreras de la comunicación, hay determinadas expresiones que a muchas personas, por diversos motivos, les disgustan cuando las escuchan. Veamos una relación de algunas de ellas:

- *Negativas:* no, de ningún modo, nunca, jamás, ni, mal, problema, imposible.
- *Generalizaciones:* todo, nada, siempre, nunca, todos/-as, ninguno/-a.
- *Exageraciones:* absolutamente, totalmente, perfecto.
- *Argot:* palabras técnicas, lenguaje especializado, términos poco conocidos.
- *Expresiones vulgares:* palabras malsonantes, groseras, ofensivas, sexistas, insultos.
- *Superlativos:* maravilloso, genial, total, estupendo, increíble, fabuloso, fantástico.
- *Agresivas:* no tienes razón, estás equivocado, es mentira, no tienes ni idea.
- *Categóricas:* ¡porque sí!, ... y se ha terminado, ¡porque lo digo yo!, ... y punto, se acabó.
- *Preguntas:* ¿me entiendes?, ¿me explico?, ¿sabes lo que te quiero decir?, ¿qué pasa?, ¿y qué?, ¿vale?
- *Adverbios:* actualmente / hoy, totalmente / del todo, indudablemente / sin duda, frecuentemente / a menudo.
- *Alargamientos:* concretizar / concretar, mejoramiento / mejora.
- *Redundancias:* bajar abajo, volver a repetir, carta escrita, mi opinión personal.
- *Tics verbales:* ya, bueno, ajá, sí, bien, vale.
- *Reiteraciones* o muletillas: para empezar, qué duda cabe, evidentemente, de entrada, de algún modo, en cualquier caso, en realidad, bajo mi punto de vista, en base a, a nivel de, ciertamente, de cara a, es decir.
- *Frases hechas:* abanico de posibilidades, marco incomparable.
- *Falsa confianza:* yo le aseguro, puede creerme, entre usted y yo, en confianza.

- *Autorreferencias:* yo..., para mí..., yo qué sé, mi..., yo que tú...
- *Culpabilización:* tú mismo, tú verás lo que haces, tú sabrás, ya te dije, ¿pero tú te lo has pensado bien?
- *Obligación:* deberías de..., tienes que..., tranquilízate.
- *Interpretaciones:* a ti lo que te pasa es..., tú lo que quieres en realidad..., no te lo tomes a mal pero..., no ha sido nada.
- *Inferencias:* no te pongas nervioso, seguro que me entiendes, sé que vas a estar de acuerdo.
- *Interrupciones:* ya sé, no me digas nada, no sigas, cállate.
- *Impersonales:* se agradece, se siente, puede decirse.
- *Inferioridad:* soy nuevo, si no es molestia, lo que digáis, no es cosa mía pero...
- *Inseguridad:* no sé, ya veremos.
- *Añadidos:* pero..., que conste que..., y una última cosa..., y además...
- *Diminutivos:* un momentito, el papelito, ahora mismito, en un ratito.
- *Palabras marcadas:* muerte, amor, vacaciones, derecha, izquierda, guerra, cáncer, aborto, navidad, sexo, terrorismo, amistad, hijo, fascista, violación.

Instrucciones: Empezar la disertación leyendo inicialmente el saludo de la casilla superior izquierda. A continuación proceder a la lectura del texto, de izquierda a derecha, desde la columna 1 hasta la 5, eligiendo al azar cualquiera de las alternativas que ofrece cada columna. Cuando vayamos a concluir, terminar leyendo la despedida de la casilla inferior derecha.

CÓMO HABLAR AUNQUE NO SE TENGA NADA QUE DECIR

1	2	3	4	5
Estimados compañeros y compañeras	el proceso iniciado recientemente	responde a objetivos esenciales	para la determinación y el establecimiento	del nuevo sistema que se desea implantar.
Del mismo modo podríamos afirmar que	la carencia estructural del sistema	obliga a analizar las diversas claves	lo que facilitaría la implantación	en todos y cada uno de los sectores en cuestión.
No obstante, debemos tener en cuenta que	el análisis de todos los factores subyacentes	podría contribuir al desarrollo	garantizando el progreso y la evolución	en el marco específico de la actual situación.
Tampoco deberíamos olvidar que	el cuestionamiento de las causas principales	precisa de una mayor determinación	lo que justifica la supervisión	de los objetivos perseguidos.
Así pues, lógicamente cabe subrayar que	la superación de esta compleja situación	anima a revisar los factores concluyentes	para asegurar y afianzar los logros	de los elementos más estructurales.
Sin lugar a dudas, resulta obvio que	aplicar una reducción indiscriminada	promueve actitudes necesarias	lo que justificaría la corrección	en el corto, medio y largo plazo.
Por otra parte, podemos señalar que	el asesoramiento de los expertos	genera los incrementos necesarios	animando a la revisión continua	de todas las directrices marcadas.

CÓMO HABLAR AUNQUE NO SE TENGA NADA QUE DECIR (*continuación*)

1	2	3	4	5
Nuestro objetivo es claro, por lo que	el arranque de todo el proceso	puede marcar las diferencias	lo que podría requerir supervisión más precisa	de cambios cualitativos del sistema.
Experiencias realizadas hasta ahora muestran que	el acuciante problema de los procedimientos	cumple una función determinante	de crecimiento real y sostenible	de las expectativas que se habían generado.
Partiendo de esa base, cabe suponer que	la actividad en la actual situación	permite preparar las condiciones	y estimula la investigación y la innovación	en nuestro ámbito de intervención.
También debemos tener en cuenta que	la realización del plan previsto	contribuye a sentar las bases	que favorecen el mantenimiento	de la estrategia de cara al futuro.
Quedaría así en evidencia que	la nueva infraestructura de la organización	prepara los elementos implicados	determinando así la consecución	del procedimiento y del sistema más idóneo.
Según nuestros ejes de actuación	el desarrollo de las diversas actividades	ofrece una gama de nuevas posibilidades	y facilita la creación e implantación	de todo el conjunto de medidas.
Evidentemente, esto nos sugiere que	la incorporación de la nueva tecnología	implica nuevos puntos de inflexión	que preparan la consolidación	a partir de las nuevas premisas.
Y, por último, podemos concluir que	el lanzamiento de nuevas propuestas	ofrece razones necesarias y suficientes	lo que anima a la modernización	que, sin duda, nos llevará al éxito. Muchas gracias.

5

ESCUCHA ACTIVA

«*Hablar es una necesidad.*
Escuchar es un arte».
JOHANN WOLFGANG GOETHE

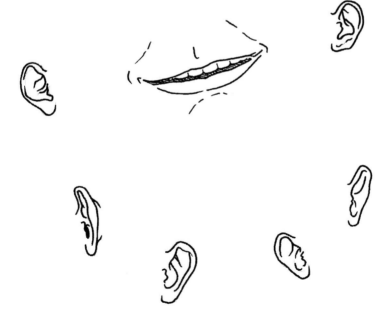

LIBERAR PRIMERO NUESTRA MENTE

Difícilmente podremos alcanzar una comunicación verdaderamente eficaz si el punto de partida no es la escucha. Y para escuchar es necesario, además de aplicar nuestros sentidos, vaciar y liberar nuestra mente.

El camino del Zen

El Zen tuvo un primer desarrollo a partir de la filosofía budista de la India, y se extendió posteriormente a China y Japón, fusionándose con la filosofía taoísta. Una de las famosas historias Zen relataba la historia de un profesor universitario occidental que decidió viajar a oriente para visitar a un reconocido maestro experto en Zen. Le solicitó que le ilustrara en la meditación y el estado de conciencia propio del Zen. El maestro le recibió con hospitalidad y, tras charlar durante un rato, le invitó a celebrar una ceremonia del té. Le preparó una taza y comenzó a llenarla. Una vez que la taza estuvo llena, el maestro siguió vertiendo té sobre la misma, que rebosaba, derramándose el líquido fuera de la taza. El profesor, sorprendido, le advirtió de que ya estaba llena, que no cabía más té en la taza. El maestro Zen explicó entonces a su visitante que, al igual que la taza, estaba su mente tan llena de sus propios pensamientos, ideas, creencias, opiniones y prejuicios, que difícilmente él iba a poder enseñarle algo acerca del Zen si no se ocupaba de vaciar primero su taza.

¿SABEMOS ESCUCHAR?

Las personas que están prestando un servicio de cara al público se comunican habitualmente a diario con muchas y muy diferentes personas, y en ocasiones establecen conversaciones parecidas a la siguiente:

— *«Buenos días, desearía inscribirme en esta actividad».*
— *«El plazo para realizar la inscripción que usted solicita ya ha terminado».*
— *«Y, entonces, ¿hasta cuando tengo plazo para inscribirme?».*
— *«¡¿...?!».*

Este breve fragmento de un diálogo refleja una situación que no es infrecuente. Lo que habitualmente se conoce como «diálogo de besugos» suele ser producto de nuestra dificultad para asimilar mensajes que contradicen nuestras expectativas, o para escuchar realmente lo que se nos está diciendo. Nos cuesta mucho liberar antes nuestra mente de nuestras propias preocupaciones, los juicios que hemos elaborado a priori, las ideas preconcebidas o las consideraciones que habíamos realizado previamente.

APRENDER A ESCUCHAR

El primer requisito para saber comunicarse es saber escuchar. Comunicar no implica únicamente saber expresar; es necesario saber observar, y sobre todo aprender a escuchar. Pero, ¿sabemos escuchar? ¿Tenemos la disposición adecuada para hacerlo? ¿Qué es lo que nos impide escuchar con atención lo que nos están intentando transmitir?

Cuando un recipiente está lleno no se puede introducir nada nuevo en él. Y así, en unos casos la mente de la persona a la que nos estamos dirigiendo, y en otros nuestra propia mente, suele estar tan repleta de ideas, datos, informaciones, prejuicios, contraargumentos, que somos incapaces de escuchar y entender lo que los demás nos están intentando decir.

Escuchar activamente a los demás es una manera eficaz de darles la oportunidad de vaciar su «recipiente» para permitirles luego llenarlo con las ideas y los mensajes que deseamos transmitir. Veamos cómo podemos optimizar la acción de escuchar.

PREGUNTAR, ESCUCHAR, REFORMULAR

Veamos una conversación entre Juan y Pedro, dos amigos y compañeros de trabajo:

J: —*Estoy algo cansado.*
P: —*Deberías trabajar menos. Te lo he repetido cientos de veces.*
J: —*El problema no es la carga de trabajo.*
P: —*Estoy seguro de que te estás exigiendo demasiado a ti mismo.*
J: —*No... En realidad no descanso bien por las noches.*
P: —*Claro, te llevas a casa las preocupaciones del trabajo.*
J: —*No, ya te digo que el trabajo marcha bien.*
P: —*Y además estás descuidando también tu salud y tu alimentación, y eso a la larga te puede costar caro.*
J: —*Me cuido, hago ejercicio, y como bien.*
P: —*Pero tantas comidas fuera de casa acaban con el estómago de cualquiera.*
J: —*Ya, bueno, en realidad...*
P: —*Y, además, entre el jefe y los clientes van a acabar con nosotros...*
J: —*No es eso... Últimamente las cosas entre mi mujer y yo van regular...*

¿Qué ha ocurrido en esta conversación? ¿Qué elementos han dificultado la comunicación en este caso? Si se analiza la secuencia con detenimiento se puede observar que hay filtros muy importantes. Juan tiene una cierta dificultad para manifestar de entrada sus problemas en su relación de pareja, pero la disposición y actitud de Pedro no se lo ponen fácil.

Pedro ha hecho muchas suposiciones, ha realizado toda una serie de interpretaciones subjetivas, ha proyectado probablemente sus propias preocupaciones sobre la situación de Juan. Su escasa disposición para escuchar ha dado lugar a un discurso algo dificultoso, con constantes negaciones del emisor, y una cierta desconexión entre ambos.

Utilizando una técnica sencilla la conversación podría haberse simplificado mucho. La técnica consiste básicamente en:

1. Formular *preguntas*, evitando sonsacar, dejando tiempo para pensar y para responder.
2. *Escuchar* activamente, sin interrumpir, mostrando asentimiento.
3. Repetir y *reformular* lo que nos ha dicho nuestro interlocutor.

Esta secuencia puede conseguir una comunicación mucho más fluida. La conversación se podría haber desarrollado de la siguiente manera:

J: —Estoy algo cansado.
P: —¿Qué te ocurre? (pregunta).
J: —No descanso bien por las noches.
P: —Ahá... (escucha, asiente).
J: —El problema no es de trabajo... (silencio, espera) ... y tampoco tengo problemas de salud.
P: —Tal vez hay algún otro motivo... (repite, reformula, deja tiempo para pensar y expresar).
J: —Sí. Últimamente las cosas entre mi mujer y yo no van muy bien... Nos vamos a separar.

¿Qué se ha logrado con esta sencilla técnica? Se ha facilitado la expresión del emisor, se ha conseguido mayor claridad y comprensión, y un mayor número de afirmaciones que muestran más sintonía entre los interlocutores. Y todo ello con una sensible reducción del número de palabras, y reduciendo también casi a la mitad el número de intervenciones necesarias por ambas partes.

SUGERENCIAS PARA UNA ESCUCHA ACTIVA

Tal y como afirmaba Zenón de Citión, *«tenemos dos orejas y una sola boca, justamente para escuchar más y hablar menos»*. Resulta evidente que no es lo mismo oír que escuchar. Hemos ido mencionando diferentes hábitos negativos en la escucha, así como algunos factores que pueden dificultar la realización de una escucha eficaz: las distorsiones perceptivas que nos llevan a escuchar lo que queremos, la desconexión cuando la información resulta compleja, las prisas por ir al tema central, la distracción, o la atención a aspectos secundarios como la apariencia física del emisor.

Escuchar no es sólo cuestión de técnica, sino también de actitud. Es una acción que requiere de un cierto esfuerzo por parte del receptor. Algunas pautas nos pueden ayudar a realizar una escucha más activa:

- Crear un clima agradable, propicio para el diálogo.
- Conocer previamente algo acerca del tema.
- Tomarse tiempo para escuchar.
- Aparcar temporalmente las preocupaciones personales.
- Aceptar incondicionalmente a la otra persona.
- Ponerse en el lugar del emisor.
- Eliminar ruidos y barreras físicas.
- Mostrar interés.
- Prestar atención, concentrarse y evitar las distracciones.

- Mirar al interlocutor.
- Captar tanto el componente verbal como el no verbal.
- Captar el contenido, tanto el explícito como el implícito.
- Escuchar, evitar en lo posible interrumpir su discurso.
- Evitar anticipar lo que va a decir a continuación, o las conclusiones.
- Evitar pensar en lo que se va a decir cuando se tenga el turno de palabra.
- Sintonizar con la línea de pensamiento del emisor.
- Comprender la estructura del contenido, seguir el hilo argumental.
- Localizar y retener de un modo especial las ideas principales.
- Preguntar posibles dudas.
- Tomar algunas anotaciones, apuntar alguna cuestión que se desea comentar.
- Resumir las ideas básicas, los puntos esenciales.
- Confirmar que el mensaje se ha comprendido adecuadamente.

LAS PREGUNTAS

Tan importante es lo que intentamos transmitir como lo que entiende el receptor. Cuando mantenemos una conversación con otra persona podemos intentar dar respuesta a varias cuestiones:

- ¿Qué creo que comunico?
- ¿Qué comunico realmente?
- ¿Qué me comunica mi interlocutor?
- ¿Qué es lo que quiere comunicarme realmente?

A través de una adecuada y fluida retroalimentación podemos conocer el efecto que va teniendo la comunicación sobre el receptor, reajustar el mensaje, corregir malentendidos. En este sentido las preguntas resultan una herramienta muy valiosa. Permiten *dirigir* la conversación y *verificar* la adecuada comprensión del contenido que se ha intentado transmitir o que se ha recibido.

Es posible diferenciar dos tipos básicos de preguntas:

- *Abiertas*: admiten un amplio abanico de respuestas; qué, cómo, por qué. Por ejemplo: ¿qué opinas al respecto?, ¿cuáles pueden ser las causas?

  Pueden formularse preguntas de *sondeo* dirigidas a profundizar, indagar: ¿en qué te basas?

  Algunas preguntas también pueden *orientar* o sugerir la respuesta: ¿Podría deberse al hecho de que...?
- *Cerradas*: buscan una información concreta, un dato preciso; qué, quién, cuándo, dónde, cuánto, cuál. Por ejemplo: ¿quién te lo entregó?, ¿cuánto tiempo llevas en la empresa?

  Algunas preguntas *de elección* ofrecen la posibilidad de escoger entre varias alternativas. Por ejemplo: ¿prefieres la verde o la roja?

En ocasiones la pregunta introduce una *repetición* de lo que se ha hablado, generalmente para confirmar que se ha recibido y entendido de forma adecuada. Por ejemplo: ¿Entonces hemos quedado en que...?

Las preguntas abiertas facilitan el contacto inicial y permiten que el interlocutor se exprese con más libertad, adecuando su intervención a su propio estilo personal. La pregunta cerrada limita las posibilidades de responder o de poder ampliar o aclarar el contenido.

En un contexto determinado deberíamos analizar la oportunidad de utilizar un tipo u otro de pregunta. No es lo mismo establecer un diálogo con una persona desconocida, con una amistad de hace años o un grupo de amigos, con un candidato a un puesto de trabajo, con un cliente que viene a comprar, o realizando una encuesta o un estudio de mercado.

Debemos decidir, ya no sólo la forma de la pregunta, sino el contenido de la misma. Al realizar una serie de preguntas se puede partir de contenidos más generales, formulando preguntas abiertas, y progresivamente ir acotando el tema a cuestiones más personales, utilizando preguntas cerradas.

PREGUNTAS DIRIGIDAS A GRUPOS

Durante una reunión con un grupo de personas, o en una sesión de formación, las preguntas nos pueden ayudar a dirigir adecuadamente el diálogo y las diversas intervenciones, y alcanzar los objetivos planteados. Cuando se trata de comunicarse o dirigir y conducir a un grupo de personas podemos decidir la oportunidad de utilizar diferentes preguntas:

- *Pregunta retórica:* es una cuestión que se formula en voz alta, pero que no espera respuesta ni se realiza con intención de obtener alguna información. Puede resultar que la pregunta sea imposible de responder o carezca de una única respuesta. Es uno de los recursos retóricos más utilizados. Permite afirmar de una manera más decidida el contenido que incluye la pregunta. En general, da por sentado que el receptor va a estar de acuerdo con la idea que se formula, por lo que su contenido ayuda a resaltar algún aspecto concreto, permite introducir cambios en la entonación del discurso, y guiar la mente del receptor en la dirección precisa que se desea.

Pregunta retórica

- *Pregunta dirigida al grupo:* podemos formular una pregunta y esperar respuesta de cualquiera de los receptores de la misma. Este tipo de pregunta permite centrar la atención sobre algún contenido puntual, llevar a la reflexión, fomentar la participación, y ayudar a conocer el nivel de conocimientos del grupo. Conviene formular la pregunta y esperar a que los receptores de la misma elaboren mentalmente sus respuestas. En caso de no obtener respuesta inicialmente se puede reformular la pregunta.

La pregunta dirigida a un grupo de personas

• *Pregunta directa*: la pregunta directa se realiza a una persona en concreto, con intención de que esta persona responda y aporte la información que se le solicita. Conviene plantearse la oportunidad de realizar una pregunta de este tipo. Podemos reconsiderar su utilización, ya que puede no ser adecuada en determinados casos; por ejemplo, cuando se intenta dejar en evidencia el desconocimiento del interlocutor, o cuando se formula para controlar a una persona que está despistada o hablando al margen.

Puede resultar muy eficaz para fomentar la participación cuando se sabe que la persona a la que se dirige la pregunta conoce la respuesta, cuando se desea conocer su opinión o ampliar la información. En cualquier caso es aconsejable valorar la respuesta que se obtiene y sacar algún aspecto interesante de la misma, aun cuando no se ajuste del todo a la información que se solicitaba.

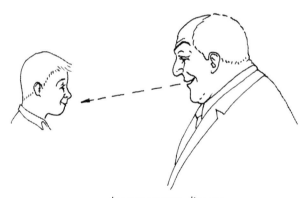

La pregunta directa

• *Devolución de una pregunta a la persona que la formula*: es lo que en el juego de billar se conoce como retruque. Cuando una persona nos formula una pregunta podemos solicitar antes la respuesta que ella daría a esa cuestión. El objetivo no es devolver la pregunta y eludir la respuesta, sino conocer la opinión de quien la formula. En algunos casos nos puede ayudar a precisar y a entender mejor el sentido real de la pregunta, lo que nos ayudará también a responder de forma adecuada.

- *Derivación de una pregunta a otra persona diferente a la que la formula, o al grupo*: la pregunta, dirigida inicialmen-

Devolver la pregunta

te a nosotros, se traslada a otra persona del grupo. La intención en este caso tampoco es evitar responder. Con esta estrategia podemos implicar a otras personas en el diálogo, conocer otras opiniones, o solicitar información a aquellos que más conocimiento pueden tener al respecto.

Redirigir la pregunta

RETROALIMENTACIÓN. EL FEEDBACK EFICAZ

Al igual que hicimos al referirnos a la comunicación en general, podemos hablar también de feedback verbal —principalmente mediante preguntas— y de feedback no verbal —a través de la observación.

Veamos algunos consejos que nos pueden ayudar a dar y recibir feedback de forma más eficaz:

- Darle una orientación *positiva*, utilizando un discurso que permita suavizar los posibles contenidos negativos.
- Será mejor recibido si es la propia persona la que ha *solicitado* nuestra opinión o consejo, que si se realiza por decisión exclusiva del emisor.
- Prestar atención tanto a las *cualidades* como a los aspectos que hay que mejorar, pero especialmente a las primeras.
- Referirlo a aquellos aspectos que la persona puede *modificar* voluntariamente, no a aquellos sobre los que no puede intervenir directamente o escapan a sus posibilidades.
- Basarse en elementos *objetivos* y mantener una postura neutral, evitando las posibles interferencias propias de las impresiones personales subjetivas.
- Procurar *describir* elementos observables, centrándonos en el proceso, los hechos o los resultados, y evitando evaluar o valorar a la persona.
- Centrarse en aspectos concretos y *específicos*, evitando las vaguedades, los aspectos poco definidos o las generalizaciones.
- Recibirlo *directamente* a través de las palabras de su interlocutor, evitando que llegue la información a través de otras vías, como podría ser el caso de indicadores no verbales, o incluso a través de terceras personas.
- Partir de un *diálogo* bidireccional, en el que ambas partes participan, escuchan y hablan; se evita así la típica charla o el monólogo del emisor.

- Realizarlo con objeto de ayudar y *motivar* a la persona, animarla al cambio; no pretender dañarla, herirla o castigarla.
- Solicitar *opiniones,* ideas, sugerencias, escuchándolas con atención, sin interrumpir, y tenerlas en cuenta para basar en ellas sus posteriores propuestas.
- Ofrecer *alternativas,* dando a elegir entre varias opciones posibles, y dejando las puertas abiertas a otras posibilidades; se evita así forzar al receptor al cambio en una única dirección.
- Realizarlo en el momento adecuado, partiendo del *presente* y centrándose de un modo especial en el futuro, evitando demorarlo innecesariamente, o vertiendo información sobre contenidos que ya forman parte de un pasado distante.
- *Verificar* y asegurarse de que las ideas han sido comprendidas y que se ha llegado a un acuerdo sobre los cambios o mejoras necesarios.

Tabla resumen de las condiciones del feedback eficaz

CONDICIONES DEL FEEDBACK EFICAZ	
-	+
Se orienta en positivo	Se orienta en negativo
Es solicitado por el receptor	Es impuesto por el emisor
Aborda tanto cualidades como defectos	Destaca únicamente los defectos
Se refiere a aspectos modificables	Se refiere a aspectos no modificables
Parte de elementos objetivos	Parte de impresiones subjetivas
Describe elementos observables	Evalúa y valora a la persona
Se centra en aspectos específicos	Menciona aspectos generales
Se transmite de forma directa	Llega indirectamente por otros canales
Se basa en la escucha y el diálogo	Realiza un monólogo unidireccional
Intenta motivar y ayudar	Se utiliza para castigar o herir
Solicita opiniones, ideas, sugerencias	No se interesa por la opinión del receptor
Ofrece alternativas, dejando elegir	Fuerza al cambio
Parte del presente y se centra en el futuro	Se queda anclado en hechos pasados
Verifica la comprensión y los acuerdos	Da por hecho que se ha aceptado

UN EJEMPLO CONCRETO DE FEEDBACK

Para clarificar las diferencias entre feedback específico y general, y entre feedback descriptivo y valorativo, veamos un ejemplo concreto. El ejercicio consiste en ubicar cada una de las siguientes afirmaciones en su casilla correspondiente:

1. *«Eres un desastre»*.
2. *«Todos los días llegas tarde»*.
3. *«Eres un impuntual»*.
4. *«Te has retrasado veinte minutos»*.

	Valorativo	Descriptivo
General		
Específico		

Si analizamos las cuatro frases anteriores veremos que en dos de ellas, la 1 y 3, se utiliza el verbo ser, lo que implica una valoración dirigida a la persona: *«Eres...»*. La número 1 habla en un sentido más general —*«desastre»* no sabemos si se refiere a que se le caen, o se le rompen, o se le pierden las cosas—, mientras que la número 3 especifica de forma más precisa que el problema es la falta de puntualidad —*«impuntual»*.

Las frases 2 y 4 realizan sendas descripciones, referidas al hecho de que la persona llega tarde. La frase número 2 generaliza el retraso a los demás días —*«todos los días»*— dando por cierto que eso ocurre «siempre». La frase número 4 especifica el tiempo que se ha retrasado —en este caso *«veinte minutos»*—, proporcionando así a la vez un feedback descriptivo y específico que resulta más eficaz.

UNA CHARLA CON ALBERTO

Alberto ha iniciado este año sus estudios universitarios. Los resultados del primer cuatrimestre fueron regulares. Últimamente ha ido empeorando su rendimiento académico, y eso se está reflejando en los primeros exámenes del segundo cuatrimestre. Su padre ha decidido mantener una «charla» con él.

«Alberto, tu problema es que tienes que estudiar más. No estás haciendo ningún esfuerzo por mejorar después de tus malos resultados del primer cuatrimestre. No me interrumpas, ahora no quiero saber nada. Ya te lo advertí en su momento. Te lo he repetido miles de veces. Pierdes totalmente el tiempo y eres incapaz de organizarte. Deberías revisar por completo tus técnicas de estudio, y mejorar de una vez tu actitud. Si no obtienes buenos resultados en los próximos exámenes tendré que plantearme que dejes los estudios y te pongas a trabajar. Tú ya me entiendes, ¿no?. Pues esto es lo que hay. Estudia, y no se hable más».

El análisis del contenido del texto anterior revela importantes barreras en la comunicación, que casi garantizan el fracaso en el intento de producir cualquier mejora en el rendimiento académico de Alberto. Vemos que es:

- *Unidireccional:* «No me interrumpas..., no quiero saber nada...; tú ya me entiendes...; no se hable más...».
- *Negativa:* «Problema...; no...; malos...».
- *Desvalorizante:* «Tus malos resultados...; eres incapaz...».
- *Culpabilizadora:* «No estás haciendo...; pierdes el tiempo...; deberías mejorar...».
- *Autoritaria:* «Tienes que...; deberías...; de una vez...; pues esto es lo que hay...; estudia...».
- *Amenazadora:* «Ya te lo advertí...; te lo he repetido...; si no obtienes...; tendré que...».
- *Categórica:* «Ningún esfuerzo...; miles de veces...; totalmente...; por completo...».

Veamos cómo podría haber discurrido un posible diálogo alternativo del padre de Alberto con su hijo:

«Hola, Alberto. ¿Qué tal vas con los estudios?... ¿Estás encontrando alguna dificultad especial?... ¿Qué tal es el resultado que estás obteniendo en los exámenes que has realizado hasta ahora?... ¿Cuál crees tú que es la causa?... ¿Cómo se podrían mejorar en el futuro?... ¿Hay algo que podamos hacer nosotros para ayudarte?...».

Viendo esta conversación, tan diferente a la «charla» anterior, se pueden extraer algunos consejos prácticos para dar y recibir feedback de una forma adecuada. Aun pareciendo tan evidentes se incumplen con demasiada frecuencia.

EJERCICIO DE ESCUCHA ACTIVA: RESPUESTAS REFLEJO

Instrucciones: A continuación aparecen diferentes fragmentos de comunicación. Tras cada una de las frases iniciales que formula el emisor, se contemplan diferentes respuestas posibles del receptor. Rodea con un círculo aquella *respuesta que* refleja *de una manera más precisa* el mensaje que intenta transmitir el emisor.

1. Mañana tengo una reunión importante en el trabajo, y estoy algo nerviosa.
   a) Es lógico que estés nerviosa; hay mucho en juego.
   b) La reunión de mañana te tiene algo intranquila.
   c) Si quieres yo me encargo de preparar la cena.
   d) Tranquilízate. Verás cómo todo sale bien.

2. Me he cruzado con el vecino de arriba, pero no ha respondido a mi saludo.
   a) Seguramente iba distraído y no se ha dado cuenta.
   b) Te llama la atención que no te haya saludado también él a ti.
   c) Tal vez está molesto por alguna cuestión.
   d) Igual te saludó en voz baja y no pudiste escucharle.

---

3. Me gustaría que fuésemos al cine algún día.

 a) Últimamente hay algunas novedades interesantes en la cartelera.

 b) Si te parece podemos ir el fin de semana.

 c) Tienes ganas de que vayamos juntos al cine.

 d) A mí también me apetece ir al cine contigo.

4. Ha venido un compañero nuevo que nos va a ayudar con el proyecto.

 a) Eso os va a permitir tenerlo terminado mucho antes.

 b) Al final termina uno sacando casi la misma cantidad de trabajo que antes.

 c) Parece que el nuevo compañero os puede ayudar a sacar el proyecto adelante.

 d) Seguro que esto os descarga de trabajo.

5. Me preocupa Javier. Creo que está desbordado con tantos exámenes juntos.

 a) Javier tiene muchos exámenes, y piensas que puede ser demasiada materia para él.

 b) Verás cómo al final lo puede sacar. Sus compañeros tienen los mismos exámenes.

 c) Tal vez necesite ayuda. Voy a intentar ponerme a estudiar con él.

 d) No te preocupes. Javier sabe gestionar muy bien su tiempo.

6. La comida estaba estupenda. Y no me explico cómo pueden servirla en tan poco tiempo.

 a) Te ha gustado mucho la comida, y te sorprende la rapidez con que la sirven.

 b) La han preparado con los ingredientes adecuados.

 c) Probablemente son platos precocinados.

 d) Tienes toda la razón. Es uno de los mejores restaurantes de la ciudad.

7. He visto a unos niños metiéndose en la fuente del parque, y sus padres ni han aparecido por allí.
   a) Piensa que es normal, con el calor que estamos pasando.
   b) Al fin y al cabo son críos jugando en el parque. No tiene más importancia.
   c) Tal vez los padres están ocupados y no pueden supervisar a los chicos.
   d) Piensas que los padres tal vez deberían vigilar más e impedir esa conducta en sus hijos.

8. Cuando escucho las noticias me deprimo. No entiendo cómo puede haber tantas desgracias en el mundo.
   a) En realidad el mundo no está tan mal. También hay buenas noticias.
   b) A mí me pasa lo mismo; no puedo ver tanto sufrimiento.
   c) Deberíamos hacer algo por cambiar este planeta en el que vivimos.
   d) Te entristece escuchar las tragedias de las que informan en las noticias.

9. Voy a tener que pedirle a Jaime que me eche una mano en la mudanza. No sé si tendrá tiempo.
   a) No te preocupes que yo puedo ayudarte.
   b) Necesitas ayuda con la mudanza y piensas pedírsela a Jaime, aunque no sabes si podrá.
   c) Es cierto. Jaime siempre está bastante ocupado.
   d) Piensa que tal vez hay otras personas que también pueden colaborar si se lo pides.

10. Me dejó fascinada que me dijera cosas tan bonitas.
   a) No pensabas que una persona así pudiera tener esa sensibilidad.
   b) Te pareció maravilloso y te encantó lo que te dijo.
   c) No esperabas que te hablase de esa manera.
   d) Conviene no dejarse impresionar por las palabras y conocer las verdaderas intenciones.

Clave de respuestas: 1-b / 2-b / 3-c / 4-c / 5-a / 6-a / 7-d / 8-d / 9-b / 10-b

6

COMUNICACIÓN NO VERBAL

*«Lo importante no es escuchar lo que se dice,
sino averiguar lo que se piensa».*

DONOSO CORTÉS

IMPORTANCIA DE LA COMUNICACIÓN NO VERBAL

Afirma un conocido proverbio árabe que quien no es capaz de entender una mirada difícilmente alcance a comprender toda una larga explicación.

La comunicación no verbal está presente siempre, voluntaria o involuntariamente. Las ya clásicas investigaciones realizadas por Albert Mehrabian sobre la comunicación de actitudes mostraron la importante contribución de los aspectos no verbales a la misma:

- Los gestos transmitían el 55 por 100.
- El tono de voz, un 38 por 100.
- Las palabras tan sólo el 7 por 100.

Los porcentajes muestran que el contenido verbal tiene una importancia muy relativa en la comunicación de las actitudes. Más del 90 por 100 se transmite a través del volumen, el timbre y el tono de voz, la mirada, los gestos, los movimientos de manos, brazos y piernas, y la postura.

Podemos captar perfectamente la violencia de una discusión, o la complicidad entre dos personas, aun cuando estén hablando en un idioma que desconozcamos. Incluso sin escuchar aspectos como el tono de voz, si quitamos el volumen del televisor, por ejemplo, podemos observar que obtenemos mucha información relativa a las relaciones entre los personajes que aparecen, sus actitudes y sus estados de ánimo.

MÁS ALLÁ DE LA COMUNICACIÓN EXPLÍCITA

Muchos mensajes que recibimos no aparecen expresados literalmente en las palabras habladas o escritas. La habilidad para «leer entre líneas» se va desarrollando casi desde que nacemos. Algunos mensajes los recibimos de forma indirecta, por conductas o acciones determinadas, y pueden ofrecer informaciones que contradicen a las palabras y que pueden tener mayor peso.

Una sonrisa resulta difícil de interpretar si carecemos de alguna otra información complementaria. Ésta nos podría indicar, por ejemplo, si se trata de una sonrisa de cortesía, de alegría, irónica o burlona. Su significado variará en función del contexto, pero sobre todo a partir de la información complementaria que nos puede aportar todo un conjunto de elementos que la acompañan.

Ese tipo de comunicación puede tener un carácter tanto voluntario como involuntario. En general resulta más difícil de ser falseada. Y nos puede ofrecer información muy valiosa sobre la persona que la transmite.

Algunos mensajes se emiten y se reciben sólo a través de acciones, sin necesidad de mediar palabra:

- Un guiño puede expresar complicidad.
- Llegar a la hora prevista puede comunicar que se es una persona organizada y puntual.
- Responder con rapidez a un correo o a una llamada telefónica puede indicar atención e interés.

LA PRIMERA IMPRESIÓN

La primera impresión que se recibe de una persona puede afectar de forma importante al modo en que nos comunicamos con ella, tiñendo el curso de las futuras interacciones que se realicen. Cuando conocemos a alguien y entablamos una conversación por primera vez, nuestros sentidos dedican algún tiempo inicial especialmente a observar y registrar información sobre sus características físicas, las facciones de su rostro, su presencia física, su indumentaria.

Los sentidos nos aportan una información inicial, principalmente visual —los rasgos de la cara— y auditiva —el timbre de la voz—. A partir de esos datos, normalmente de una forma involuntaria, solemos establecer juicios de valor sobre la persona, su forma de ser y de actuar. A veces basta con una pequeña información sobre alguien para desplegar toda una serie de valoraciones y conjeturas.

Es posible que, incluso sin que la otra persona esté físicamente presente, hagamos inferencias y suposiciones a partir de su tono de voz a través del teléfono, o de la imagen que aparece en una fotografía, o de algunos rasgos y características con los que nos la han descrito. Establecemos entonces una comunicación con esa persona a partir de la imagen mental que hemos construido de ella.

INTERPRETAR LA COMUNICACIÓN NO VERBAL

En general es difícil fingir el lenguaje del cuerpo, dado que la mayor parte de los contenidos no verbales se manifiestan de forma involuntaria. Y la información que aportan suele captarse y procesarse a nivel inconsciente.

Para poder interpretar correctamente la comunicación no verbal debemos seguir algunos criterios y tener en cuenta algunas observaciones. En primer lugar, partir de la base de que los indicadores no verbales deben ser analizados e interpretados globalmente, en conjunto, y no unos aislados de otros. Si solamente nos fijásemos en las letras de una oración seríamos incapaces de entender las palabras, y mucho menos la frase completa.

El conocimiento del contexto situacional, cultural y social nos ofrecerá algunas claves para descifrar la información correctamente. Las diferentes culturas asignan a los gestos, los movimientos o las distancias, interpretaciones que en ocasiones difieren bastante.

Los ojos y la mirada nos van a aportar una información especialmente valiosa para poder comprender los mensajes.

Si observamos dos individuos que se expresan con determinados gestos y adoptan posturas bastante similares podemos entender que probablemente exista una elevada conexión entre esas dos personas, una cierta sintonía intelectual o emocional.

PRINCIPALES SEÑALES E INDICADORES NO VERBALES

• Postura abierta:

Apertura

— Manos abiertas y palmas hacia arriba.
— Apertura de brazos.
— Camisa o chaqueta sin abotonar.

• Sinceridad, honestidad:

Sinceridad

— Mirar a los ojos y mantener la mirada.
— Llevar la mano al corazón.
— Mostrar las palmas de las manos.

• Postura cerrada, defensiva:

Cierre

— Brazos cruzados sobre el pecho; piernas cruzadas.
— Chaqueta cerrada.
— Objetos dispuestos entre los interlocutores. Por ejemplo, una mesa.
— Manos con los dedos entrelazados a la altura de la cara.

• Seguridad, confianza, decisión, reto:

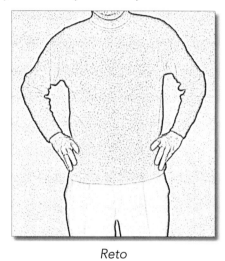

Reto

— Manos en las caderas y codos hacia atrás.
— Mirar fijamente a los ojos.
— Juntar las yemas de los dedos de ambas manos.

• Frustración, autodominio, autocontención:

— Llevarse las manos a la cabeza.
— Poner la mano en la nuca.
— Con los brazos atrás, una mano coge la muñeca contraria.
— Cerrar los puños.
— Golpear sobre la mesa.
— Apoyarse o agarrarse a algún objeto; a una mesa, por ejemplo.

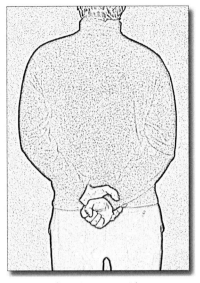

Autocontención

- Nerviosismo:

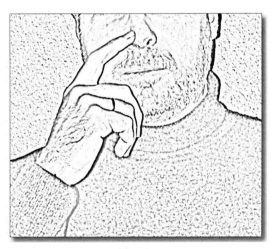

Nervios

— Pellizcarse la oreja.
— Rascarse la nariz.
— Carraspear.

— Juguetear con objetos en las manos.
— Tamborilear los dedos sobre la mesa.
— Temblor en la voz.

• Galanteo, cortejo:

Galanteo

— Mesarse la barba, atusarse el cabello.
— Mover la cabeza, echándose el pelo hacia atrás, o apartarlo de la cara.
— Humedecer los labios.
— Colocarse el nudo de la corbata.
— Prolongar el contacto visual.
— Mirar de reojo o hacia atrás.

• Atención, interés, concentración:

— La dirección de la mirada y del cuerpo muestra lo que interesa.
— Dilatación pupilar.
— Inclinación del cuerpo hacia delante.
— Cabeza ladeada.

Interés

- Aburrimiento, cansancio:

Aburrimiento

— Cabeza apoyada sobre la palma de la mano.
— Bostezo.
— Ojos entornados.
— Mirada vaga y perdida.
— Mirar repetidamente el reloj.

• Autoridad, dominancia:

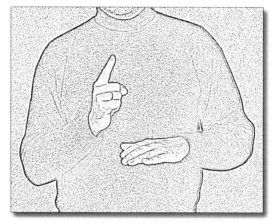

Autoridad

— Mostrar el dedo índice extendido.
— Portar algún objeto en la mano.
— Dar la mano con la palma hacia abajo.

• Duda, inseguridad, engaño:

— Dar la mano con excesiva suavidad, sin llegar a abarcarla.
— Taparse la boca al hablar.
— Llevarse la mano a la boca, la nariz, las orejas, el cuello.

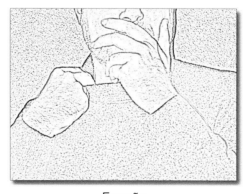

Engaño

— Hablar en voz baja.
— No mirar directamente al interlocutor.
— Bajar o retirar la mirada.
— Encogerse de hombros.
— Tirar del cuello de la camisa.

• Desconfianza:

Desconfianza

— Mirar de reojo o de lado.
— Ladear la cabeza.
— Frotarse el bigote con el índice.
— Rascarse detrás de la oreja.

• Análisis, evaluación, valoración:

Evaluación

— Acariciarse la barbilla.
— La mano en la cara con el índice sobre la mejilla y otro dedo tapando la boca.

• Desacuerdo, rechazo:

Rechazo

— Negar abiertamente con la cabeza.
— Retirarse hacia detrás.
— Quitar una pelusa o una pequeña partícula de la ropa.

• Alegría, tristeza:

Alegría

— Risa, sonrisas.
— Llanto, ojos vidriosos.

INCOHERENCIAS EN LA COMUNICACIÓN

En ocasiones se pueden observar claras disonancias y contradicciones entre lo que la persona piensa, siente, dice y hace.

PIENSA - SIENTE - DICE - HACE

La consonancia o coincidencia entre esos cuatro elementos aporta coherencia a la comunicación.

A través de las palabras transmitimos mensajes, a veces con intención de que en nuestra mente llegue a cobrar realidad una determinada idea o propósito. Es probable que en alguna ocasión hayamos escuchado a alguien, mientras sostenía un cigarrillo encendido en la mano, afirmar que el cigarrillo iba a acabar con su salud, y que iba a tomar la firme decisión de dejarlo. Lo que puede ser percibido como una incoherencia es en realidad la expresión de un propósito, un intento de autoconvencimiento.

Los seres humanos, por nuestra propia naturaleza, mostramos algunas incoherencias. Casi nadie muestra una conducta consistente y se comporta siempre igual en diferentes situaciones o ante personas diferentes. Los contextos en los que se dan las conductas no pueden repetirse exactamente. Sólo ocurren una vez, en un aquí y ahora.

Una persona puede no desear llamar la atención públicamente a nadie, y sin embargo tener que hacerlo en alguna ocasión, por ejemplo, si alguien se ha intentado colar en la fila en la que esperaba para ser atendido. De este modo, su forma de comunicarse para solicitar a la otra persona que por favor espere su turno puede ser algo atropellada, mostrando cierta incoherencia entre lo que desearía y lo que tiene que hacer o decir.

LA MENTIRA

Otto von Bismarck afirmaba que *«nunca se miente tanto como antes de las elecciones, durante la guerra y después de la cacería»*. Nuestra comunicación transmite muchas informaciones, algunas más ciertas que otras. Gerald Jellison, psicólogo norteamericano, calculó en doscientas el número medio aproximado de mentiras que podemos escuchar, ver o leer en un solo día. Es posible que de forma voluntaria o involuntaria podamos maquillar algunos de los contenidos que expresamos cuando hablamos con los demás: *«Llevas un vestido muy bonito»*, *«El peinado te queda estupendo»*, *«Menudo atasco había»*. Muchas de ellas son inocentes e inofensivas, e incluso, aunque suene poco razonable, hacen posible la convivencia. En otros casos se omite determinada información, se oculta algún dato, se desvía el rumbo de la conversación, o se miente directamente, con pleno conocimiento de causa.

Mentimos por muchos motivos. Podemos utilizar la mentira para:

• Evitar castigos o situaciones incómodas para nosotros.
• Evitar dañar a otras personas.
• Posibilitar la continuidad de las relaciones.
• Obtener algún beneficio.
• Impresionar a los demás y captar su admiración.
• Preservar nuestra intimidad.
• Manipular a los demás.

¿NOS ESTÁN MINTIENDO?

En el famoso cuento de Pinocho, el hada madrina le dice a Pinocho: *«las mentiras crecen y crecen hasta hacerse tan evidentes como la nariz en tu cara»*. La mentira socialmente aceptable tiene, como se suele decir, «las piernas cortas y la nariz larga», de modo que no llega muy lejos y la podemos ver y cazar fácilmente.

¿Podemos falsear la comunicación sin ser descubiertos? ¿Es posible diferenciar cuándo una persona está diciendo la verdad y cuándo está mintiendo? Los expertos entrenados para hacerlo llegan a detectar aproximadamente el 70 por 100 de las mentiras, salvo cuando deben enfrentarse a dos colectivos muy particulares: los actores y los políticos. En ambos casos, sólo alcanzan a detectar aproximadamente uno de cada diez engaños.

Un ejercicio que resulta bastante interesante consiste en pedir a un grupo de personas que cada uno de ellos cuente al resto del grupo una historia, preferentemente una anécdota personal. Puede ser cierta o falsa, pero sólo la persona que la está contando dispone de esa información. El resto debe adivinar si se trata de una historia verdadera o falsa, y debe dar alguna justificación de por qué lo cree, de qué elementos le han llevado a esa conclusión.

En general, podemos detectar la mentira a partir de algunos indicadores de comunicación no verbal:

- Se suele desviar la mirada, y se evita el contacto visual.
- Cuando las palabras contradicen lo que realmente se piensa se tiende a parpadear.
- Se expresa el contenido con un volumen inferior al habitual.
- Se lleva la mano a la boca, tapando parcialmente parte de la cara.
- No suelen hacerse movimientos muy ostensibles o expansivos.
- No se muestran gestos de firmeza o autoridad, como extender el dedo índice.
- La velocidad del habla puede aumentarse.
- Se puede observar también balbuceo o inseguridad en el habla.
- La persona se puede echar hacia atrás.
- Cuando intentamos buscar algún dato en nuestra memoria normalmente dirigimos la mirada hacia arriba.

A través del análisis de los contenidos verbales se puede igualmente detectar la falsedad. Cuando se está mintiendo es posible observar algunos elementos que lo delatan:

* La inconsistencia en los contenidos.
* La petición de que se repita la pregunta que se le ha formulado.
* La dilación en la respuesta.
* La aceleración y simplificación de la narración.
* La omisión de gran parte de los detalles.

La persona que ha cometido un asesinato e intenta ocultarlo, cuando se le formula la pregunta acerca de lo que ha hecho durante el día, podría reaccionar, por ejemplo, con otra pregunta del tipo: *«¿Qué quiere decir?», «¿A qué se refiere?», «¿Por qué me lo pregunta?»*.

En su respuesta posterior tal vez intente acelerar y recortar la narración: *«Salí de madrugada y cuando regresé por la noche encontré su cadáver en el dormitorio»*. Normalmente la persona que no tiene nada que ocultar relata los diversos acontecimientos del día sin recurrir a la simplificación: *«Me levanté temprano, me di una ducha, bajé a desayunar al bar como hago habitualmente, compré el periódico y tomé el metro para dirigirme al trabajo...»*. Pero si se ofrece una información demasiado excesiva en detalles, o rebuscada, ello puede indicar que algo en la exposición está fallando.

EL VALOR DE LA SONRISA

Viendo algunos anuncios en la televisión, vídeos musicales, desfiles de modelos o incluso algunos dibujos animados, podríamos llegar a la conclusión de que la sonrisa no está de moda. Lo que hace algunos años eran sonrisas «comerciales» se han ido convirtiendo en caras bastante serias; incluso, en algún caso, hasta violentas o amenazantes.

Algunas culturas orientales sonríen con cierta frecuencia como un signo de educación. Incluso a la hora de recibir el pésame podríamos evitar transmitir nuestro sufrimiento a los demás si fuésemos capaces de mostrar un gesto más sereno.

Afirmaba Alejandro Casona que no hay nada serio que no pueda decirse con una sonrisa. Incluso en una ceremonia fúnebre, a la hora de pronunciar el discurso sobre el fallecido, podemos mencionar alguna anécdota simpática referida al mismo: «*Javier seguirá vivo en nuestros corazones. Ha sido una persona especial para todos nosotros. Hemos compartido tantos momentos de alegría, como en aquella ocasión en la que...*», e introduce, en ese momento del discurso, una anécdota simpática referida a la persona fallecida.

Con nuestras palabras y nuestros gestos transmitimos emociones y estados de ánimo. Funcionan como estímulos que el organismo procesa a nivel neurofisiológico y que repercuten en el sistema nervioso. Diversos autores, entre los que cabe citar a Paul Ekman como un referente en el tema, han realizado investigaciones que han puesto de relieve que la modificación de la expresión facial, realizada de forma voluntaria con objeto de adoptar la expresión de una determinada emoción, es capaz de producir en el individuo cambios fisiológicos involuntarios similares a los que se producirían si se hubiese realizado de modo espontáneo. La expresión del rostro puede tener repercusiones directas sobre el estado de ánimo.

Ya en el primer tercio del siglo veinte, en los años treinta, Dale Carnegie, en su famoso libro «*Cómo ganar amigos e influir sobre los demás*» destacaba el valor de la sonrisa. Mencionaba el texto publicitario de unos grandes almacenes de Nueva York, cuyo mensaje, con algunas adaptaciones, venía a decir algo así:

> «*La sonrisa es un signo de amistad.*
> *No cuesta nada y da mucho.*
> *Enriquece a quien la recibe sin empobrecer a quien la ofrece.*
> *Sólo dura un instante*

pero su recuerdo puede permanecer para siempre.
Nadie es tan rico que pueda prescindir de ella,
ni tan pobre que no pueda ofrecerla.
La sonrisa es un antídoto eficaz para la tristeza.
Si alguna vez encuentras a una persona
que no te ofrece la sonrisa que tú mereces,
sé generoso y ofrécele la tuya...
porque probablemente nadie necesita tanto una sonrisa
como aquel que no es capaz de ofrecerla a los demás».

7

COMUNICACIÓN ESCRITA

*«La lectura hace al hombre sabio,
el diálogo hace al hombre sagaz,
la escritura hace al hombre exacto».*

Anónimo

LA EXPRESIÓN ESCRITA

La escritura es un método de comunicación que utilizamos los seres humanos, a partir de un sistema de signos visuales. Ha ido evolucionado a lo largo de la historia, de modo que se pueden distinguir al menos cuatro sistemas o tipos de escritura:

1. *Pictográfica:* utiliza símbolos que representan a los objetos. Por ejemplo, los jeroglíficos egipcios.
2. *Ideográfica:* además de representar al objeto, incorpora ideas y cualidades asociadas al mismo. Característica de la lengua china.
3. *Silábica:* representa los sonidos mediante sílabas.
4. *Alfabética:* utiliza signos —letras: vocales y consonantes— que representan a los diferentes sonidos.

Expresarse adecuadamente por escrito resulta algo más complejo que hablar, dado que sólo se utilizan medios lingüísticos. En un texto escrito se pierde parte de la valiosa, y a veces definitiva, información que nos pueden aportar el tono de voz, los gestos y el contexto de la comunicación. A diferencia de la expresión oral, la comunicación escrita también tiene un carácter más permanente. Como suele decirse, las palabras se las lleva el viento, pero lo escrito escrito está y escrito queda.

La forma en que se ha expresado y redactado un texto refleja de algún modo la cultura, la capacidad mental, la sensibilidad y la personalidad de quien lo ha escrito. Escribir correctamente es una muestra de que también se piensa adecuadamente.

La capacidad para expresar con propiedad nuestras ideas por escrito se incrementa con la formación, la lectura, el entrenamiento, y sobre todo con la práctica. Un espíritu que no se alimenta y sigue creciendo seguramente producirá escritos pobres. La mente debe enriquecerse primero con nuevos aprendizajes, a través del estudio, la lectura, el análisis o la reflexión.

Muchas personas se plantean la siguiente cuestión: ¿sobre qué tema puedo escribir? Podemos encontrar fuentes de invención y de creación a partir de la observación, el diálogo, la propia experiencia, los recuerdos, la imaginación, los sentimientos, los sueños, Internet...

ALGUNAS CITAS Y UNA CARTA PARA LA REFLEXIÓN

Algunas citas nos sugieren reflexiones interesantes relativas a la escritura:

* *«Cuando lo hayas encontrado, anótalo». Charles Dickens.*
* *«Lo escrito permanece». Domingo Faustino Sarmiento.*
* *«El escritor sólo empieza a escribir el libro. El lector lo acaba». Johann Wolfgang Goethe.*
* *«No existen más que dos reglas para escribir: tener algo que decir y decirlo». Oscar Wilde.*
* *«Las honestas palabras nos dan un claro indicio de la honestidad del que las pronuncia o las escribe». Miguel de Cervantes Saavedra.*
* *«Escribir es rehusar». Paul Valéry.*
* *«Hay que lograr que a uno se le lea con atención; el derecho a la atención es lo que hay que conquistar». Miguel de Unamuno.*

- *«Borra a menudo si quieres escribir cosas dignas de ser leídas».* Anónimo.
- *«No sé hasta qué punto un escritor puede ser revolucionario. Por lo pronto, está trabajando con el idioma, que es una tradición».* Jorge Luis Borges.
- *«Escribir es una forma de terapia».* Graham Greene.
- *«He escrito esta carta un poco larga porque no he tenido tiempo de hacerla más corta».* Blas Pascal.

Una carta para la reflexión

CARTA A LA PAREJA

1.er borrador: *Amor mío, aunque a veces he echado en falta algo más de comunicación entre nosotros, nuestro amor es lo más maravilloso que ha ocurrido en mi vida...*

2.º borrador: *Cariño, aunque ha habido muchos momentos en los que nos ha faltado diálogo, nuestra relación siempre será para mí algo especial...*

3.er borrador: *Querido Antonio, creo que no supiste comprender mis sentimientos y con el tiempo lo nuestro se ha ido enfriando...*

4.º borrador: *Apreciado Antonio, la verdad es que cada vez que necesito hablar contigo tú no me escuchas...*

5.º borrador: *Antonio, realmente hace mucho tiempo que la relación se terminó...*

6.º borrador: *¡Adiós!*

CLASES DE ESCRITOS

Podemos diferenciar varias clases de escritos según su contenido:

- *Descripción*: mediante palabras el texto representa a personas, objetos, paisajes, sentimientos.
- *Narración*: relata hechos y acontecimientos siguiendo un orden cronológico, construyendo una historia, relatando una anécdota, contando un cuento.
- *Exposición*: presenta una cuestión para darla a conocer; por ejemplo, un tema, un informe, un procedimiento.
- *Argumentación*: aduce las principales razones para apoyar o rebatir una opinión.

Normalmente estos tipos de escritos no se presentan de forma independiente, sino que suelen aparecer entremezclados. Es frecuente que una narración, por ejemplo, vaya acompañada de descripciones, o que tras una exposición o durante la misma se vayan destacando los argumentos principales que sustentan las ideas expuestas o permiten rebatir las contrarias.

LAS CUALIDADES DE UN ESCRITO

Algunas de las principales cualidades que debe reunir un texto escrito son las siguientes:

- *Propiedad:* empleo de las palabras adecuadas, utilizando el vocabulario con su sentido preciso.
- *Corrección:* adecuación de la gramática, la ortografía, la construcción de oraciones, conforme al uso correcto de la lengua.
- *Claridad:* distinción con la que se expresan las ideas, de modo que resulten fáciles de entender, y los mensajes resulten unívocos, pudiendo ser interpretados sólo en un sentido.
- *Orden:* adecuada organización y estructura del contenido, introduciendo una secuencia lógica a través de una serie de párrafos, cada uno de los cuales normalmente desarrolla una idea.

- *Unidad:* un texto no es una mera enumeración de ideas, sino que debe presentar un carácter unitario.

Otras cualidades pueden aportar al texto un valor añadido, cuando éste responde, por ejemplo, a criterios y aspectos como los siguientes:

- Precisión en cuanto al objetivo del escrito.
- Conocimiento y adecuación al perfil, características y necesidades del lector.
- Anticipación de la previsible reacción del receptor.
- Adecuación al contexto en el que se produce la comunicación.
- Sinceridad.
- Oportunidad de la comunicación.
- Originalidad del contenido.
- Utilización de un estilo personal, sencillo y directo.
- Calidad de la presentación.

Puntualmente podríamos también referirnos a la brevedad, aunque obviamente no siempre resultará una cualidad conveniente.

Un criterio útil a la hora de elaborar un texto escrito:
«Dedicarle tanto más tiempo y hacerlo tanto más breve
cuanto mayor es el número de lectores potenciales»

EL PROCESO DE ESCRITURA

A la hora de escribir conviene tener claro y no perder de vista cuál es nuestro objetivo, lo que pretendemos conseguir con el texto: informar, argumentar, convencer, deleitar, contar, describir, enseñar... Ese objetivo puede servirnos de guía durante la elaboración del texto.

Se pueden distinguir cuatro fases claramente diferenciadas en el proceso de escritura:

1. *Selección:* decisión acerca del contenido sobre el que se va a escribir. Hemos visto al inicio del capítulo diversas fuentes de creación. En esta fase se inventan, se seleccionan y se criban las ideas, se intenta delimitar el contenido que se va a abordar. No se trata tan sólo de acumular contenidos o hacer acopio de ideas, sino también de rechazar aquellas que consideremos que puedan resultar poco pertinentes.

2. *Disposición:* se ordenan y se van trabando las diferentes partes del escrito. Cada una de esas partes guardará una proporción y un cierto equilibrio con el resto, quedando normalmente el texto subdividido en apartados, párrafos, oraciones. Se pueden utilizar criterios diversos para estructurar el contenido: descriptivo, comparativo, jerárquico, analítico, cronológico, o de dificultad creciente.

   La lectura de cada uno de los párrafos debe conducir de modo natural al siguiente. Los párrafos cortos invitan más a la lectura. Si un párrafo tiene aproximadamente más de ocho líneas, puede subdividirse en dos conceptos relacionados, y escribirlos en párrafos separados.

   Para iniciar el texto, un primer párrafo breve, por ejemplo, anima a seguir leyendo. Y un breve párrafo al final puede ayudar a destacar la conclusión o la idea principal. Un punto y aparte permite al lector hacer un descanso, o darle una oportunidad para la reflexión.

   La puntuación permite delimitar las diversas partes o unidades de un texto escrito, posibilitando al lector la adecuada interpretación del contenido. Podemos utilizar los diferentes signos de puntuación:

   — *Signos de puntuación básicos:* coma, punto y coma, punto y seguido, punto y aparte, punto y final, dos puntos. Estos signos básicos delimitan el texto en su

conjunto —punto y final—, cada párrafo —punto y aparte—, la oración —punto y seguido—, o intervienen dentro del enunciado —coma, punto y coma, dos puntos.
— *Signos de puntuación auxiliares*: puntos suspensivos, signos de interrogación, signos de exclamación, guiones, comillas, paréntesis. Los tres últimos signos auxiliares delimitan un segundo discurso dentro del texto.

3. *Elocución*: decisión sobre el modo en que se van a exponer los contenidos, acerca de la expresión, el lenguaje, o los recursos lingüísticos que se van a utilizar. El texto puede adornarse o ilustrarse de forma especial si se introducen adecuadamente algunos de los datos, ejemplos, comparaciones, citas o anécdotas. La elocución debe prestar especial atención tanto a la naturaleza del tema que se está abordando como al objetivo del escrito, poniendo especial atención para lograr dar relevancia a aquellas partes más significativas o relevantes del texto que por su importancia se desean destacar especialmente.

4. *Revisión*: revisar el escrito con objeto de pulirlo y perfeccionarlo. Antes de dar por terminado un escrito, y por supuesto antes de enviarlo, debemos haberlo revisado para verificar la calidad del mismo. Suelen resultar de mucha utilidad tres estrategias concretas:

— Realizar una lectura del texto en voz alta.
— Pasárselo a otra persona para que lo lea, nos dé su opinión y realice algunas sugerencias concretas.
— Dejar «dormir» el texto uno o varios días, para tomar distancia y releerlo posteriormente con cierta perspectiva.

Podemos buscar un título apropiado para el escrito, de modo que resulte atractivo e interesante. En general, es preferible que redactemos un título breve, capaz de captar la atención, fácil de entender, y que describa o sintetice en pocas palabras el contenido del escrito.

REVISIÓN, ANÁLISIS Y VALORACIÓN DE UN ESCRITO

A continuación se detallan algunos criterios que nos pueden ayudar a revisar, a analizar y a valorar una comunicación escrita.

1. *Preparación del escrito*:
   • Clarificación del objetivo que persigue la comunicación escrita.
   • Información sobre las características, conocimientos y necesidades del receptor.
   • Oportunidad de la comunicación, elección del momento adecuado para realizarla.
   • Conocimiento y adecuación al contexto del receptor.
   • Adecuación del tratamiento y la formalidad del contenido.

2. *Proceso de elaboración y redacción del texto*:
   • Elaboración de un guión con la estructura general del contenido.
   • Estructura definitiva de los capítulos, apartados, epígrafes, párrafos.
   • Redacción del contenido, construcción adecuada de las oraciones.
   • Claridad en la exposición de las ideas principales y las conclusiones.
   • Vocabulario adecuado y preciso, con términos conocidos por el lector.
   • Empleo adecuado de sinónimos que evitan la repetición de palabras.

- Revisión de ortografía, acentos, signos de puntuación.
- Valoración del estilo en cuanto a personalidad, amenidad, variedad.
- Utilización de recursos visuales: imágenes, gráficos, esquemas.
- Introducción de recursos retóricos: citas, anécdotas, ejemplos, comparaciones.
- Adecuada extensión del contenido.
- Adecuación del título general del texto.
- Adecuación de los títulos correspondientes a cada apartado o epígrafe.
- La presentación del escrito, disposición de la página, párrafos, márgenes, títulos.

3. *Revisión del escrito*:
   - Revisión del texto por parte del autor.
   - Lectura por parte de otras personas que pueden realizar sugerencias de mejora.
   - Evaluación posterior de la eficacia del texto en cuanto al logro de objetivos.

Criterios de análisis y valoración de la comunicación escrita

Vocabulario	
Corrección	
Estructura	
Claridad	
Argumentación	
Coherencia	
Originalidad	
Extensión	
Estilo	
Presentación	

Muchas ideas geniales comienzan con una página en blanco

8

ANÁLISIS TRANSACCIONAL Y VENTANA DE JOHARI

«Cuando estés enojado, cuenta hasta diez antes de hablar.
Si estás furioso, cuenta hasta cien».

THOMAS JEFFERSON

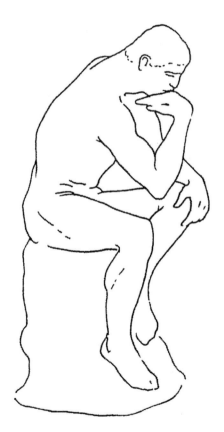

CUESTIÓN DE TACTO

El análisis de las barreras e interferencias que afectan a la comunicación pone de relieve que puede haber un verdadero abismo entre lo que pensamos, lo que queremos decir, lo que expresamos, lo que los demás oyen, lo que creen haber escuchado y lo que entienden finalmente.

A la hora de comunicar, el «tacto» se convierte probablemente en el más importante de los sentidos. En el curso de las interacciones sociales resultan esenciales aspectos tales como la adecuación al contexto, el don de la oportunidad, la mesura y la ponderación, el respeto profundo por la otra persona la manifestación serena de las discrepancias.

Algunas películas incluyen escenas que son especialmente ilustrativas del modo en que una comunicación inapropiada puede resultar demoledora en las relaciones interpersonales. Es el caso, por ejemplo, de *Mejor imposible,* película en la que Jack Nicholson borda su interpretación en el papel de Melvin, un hombre que padece un trastorno obsesivo-compulsivo, y de cuya personalidad cabe destacar su escasa habilidad social. Refleja en cierto modo lo difícil que resulta firmar la paz con el mundo mientras se continúa librando una batalla sin cuartel con uno mismo. Valga como ejemplo la maravillosa secuencia de la cena con la sufrida camarera Carol, interpretada también de forma magistral por Helen Hunt.

Hay personas que cuando aciertan en lo que deben decir lo hacen casi de modo casual, sin aparente conciencia del porqué de lo adecuado de su respuesta. Del mismo modo, en la mayoría de las ocasiones no atisban a ver el motivo de lo inapropiado o inconveniente de muchas de sus conductas y comunicaciones. Su escasa empatía, así como su desinterés o difícil acceso a la comprensión de las emociones y sentimientos ajenos, están en general en la base de estos desajustes comunicacionales.

¿DIALOGA? ¿CON QUIÉN?

—¿Dialoga? ¿Con quién?
—Consigo mismo. Nuestra conversación interior es un diálogo, y no ya sólo entre dos, sino entre muchos. La sociedad nos impone silencio y una conversación ficticia. Porque la verdadera conversación es la que sostenemos en nuestro interior. Después que usted y yo nos separemos continuaremos conversando uno con otro y yo me diré lo que debía decirle ahora y no se lo digo y me contestaré lo que usted debe contestarme y no me contesta. ¡Si usted supiera cuánto me acuerdo de las cosas que debí decirle a usted en tal o cual ocasión y no se las dije! Ya ve, pues, cómo puede uno acordarse de lo que no fue, sino debió haber sido.
—Pero es que si uno se acuerda de ello es porque de un modo u otro fue.
—Es usted un racionalista impenitente y formidable, y a un hombre así no se le debe recitar poesía.

Miguel de Unamuno. *Del sentimiento trágico de la vida*
(fragmento)

EL ANÁLISIS TRANSACCIONAL

El análisis transaccional (AT), formulado por Eric Berne, ofrece una interesante propuesta de análisis y comprensión de la conducta y de la comunicación y las relaciones humana. Utilizado en psicoterapia, es un referente por su carácter preventivo e integrador de otras teorías. Pero lo es también en especial por la claridad y sencillez de su planteamiento y su evidencia casi intuitiva. El punto de partida de su análisis es el comportamiento de los individuos cuando están interactuando. Estudia aspectos verbales y no verbales de la comunicación que resultan reveladores de las «transacciones» o intercambios comunicacionales que están realizando entre sí las personas.

Antes que intentar describir la personalidad del individuo y delimitar «cómo es», centra su foco de atención en estudiar «cómo está» la persona. El contexto temporal «aquí y ahora» resulta revelador del «estado» de la persona en ese momento preciso, en esa interacción puntual. Dicho análisis pone en evidencia los elementos que influyen en el curso de la interacción, logrando que resulte adecuada o propiciando distorsiones y bloqueos en la comunicación.

ESTADOS DEL YO

Se distinguen tres estados del yo bien diferenciados: Padre (P), Adulto (A) y Niño (N). Dichos estados son independientes de la edad cronológica del sujeto. Son manifestaciones muy vinculadas al proceso de aprendizaje del individuo y a sus experiencias previas de interacción.

Los contenidos verbales y los indicadores no verbales son elementos fundamentales para realizar un análisis profundo. Se resumen a continuación algunos rasgos destacados de cada estado:

Padre:

— Estado vinculado a la identificación del sujeto con los padres y otras figuras de autoridad.
— Tiene un marcado carácter normativo: ordena, impone, exige, juzga, reprende, castiga.

— En otra manifestación muestra un estilo más protector: cuida, ayuda, protege, premia.
— «Debes…, tienes que…, haz…, te prohíbo…». «Tranquilo…, yo te ayudo…»

Adulto:

— Racional, objetivo, analítico, orientado a la solución de problemas, afirmativo, asertivo.
— Parte de su conocimiento y experiencia se centra en el presente, utiliza la lógica y la razón.
— Piensa, analiza, reflexiona, estudia, escucha, valora, argumenta, decide, actúa.
— «Qué… cuándo… cómo… por qué… qué opinas… comprendo…». En su vocabulario figuran palabras tales como «causas, opciones, alternativas, soluciones».

Niño:

— Estado vinculado a la identificación con etapas de la infancia y juventud.
— Subjetivo, se deja llevar por sentimientos, emociones, deseos, intuiciones, impulsos, caprichos.
— Carácter marcadamente espontáneo, natural, alegre, expresivo, lúdico, creativo, curioso, vitalista, hedonista.
— Otra manifestación muestra un estilo obediente, dependiente, desamparado, necesitado de afecto y apoyo, conformista, sumiso.
— Y en otra vertiente destaca el carácter rebelde, indisciplinado, manipulador.
— «Quiero…». «¡Qué alegría!» «¿Lo he hecho bien?» «No me da la gana».

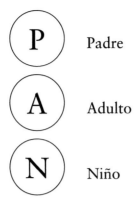

P) Padre

A) Adulto

N) Niño

TRANSACCIONES

Los seres humanos comunican pensamientos y emociones, razones y sentimientos, tanto acerca de sí mismos como relativas a los demás y a la naturaleza y carácter de las relaciones. Las transacciones ofrecen una carga importante de sentimientos. Nos comunicamos desde alguno de los estados anteriores, y lo hacemos hacia un estado concreto del receptor y, a su vez, recibimos de éste una respuesta desde alguno de los tres estados analizados.

Las transacciones pueden ser complementarias, cruzadas y ulteriores.

Complementarias:

— La respuesta del receptor desde el mismo estado al que se dirigía el emisor.
— El emisor obtiene la respuesta que esperaba, dirigida al mismo nivel de su estado del yo desde el que partía la comunicación inicial.
— Son habituales transacciones entre adulto-adulto, padre-padre, padre-niño, niño-padre.
— La comunicación se produce en paralelo y resulta adecuada.
— Ejemplo: «¿Qué hora es? / Son las siete y cuarto». Pregunta de adulto a adulto / respuesta de adulto a adulto.

Cruzadas:

— En ellas la respuesta puede tener su origen en un estado diferente de aquel al cual iba destinada la comunicación.

— O bien la respuesta se dirige hacia un estado del emisor distinto del que partió la comunicación inicial.

— Dado que la reacción no es la esperada, genera un notable choque en la expectativa de respuesta que se tenía. Implica un «corte» en la comunicación, que resulta problemática. Se generan bloqueos, malentendidos.

— La reacción ante lo inesperado de la respuesta suele ser de perplejidad, resentimiento, frustración. Produce reticencias, desconfianza y tendencia a cortar la interacción.

— Ejemplo: Pregunta: «¿Tienes hora?». / Respuesta: «A ver si te acuerdas de ponerte el reloj y dejas de olvidártelo en casa todos los días». Pregunta de adulto a adulto. Respuesta de padre a niño.

— Dado que este tipo de transacción supone un «corte» en la comunicación, en general resulta conveniente responder de entrada desde el estado inicial que recibe la comunicación, realizar una transacción complementaria paralela y reconducir posteriormente con una comunicación dirigida al adulto.

Ulteriores:

— Se produce una diferencia entre el sentido literal de aquello que se expresa y el verdadero mensaje que se está enviando. Implica un nivel de análisis más complejo.

— Contiene un «doble mensaje»: un componente social más aceptable y otro psicológico más profundo. El contenido aparente, verbal, socialmente adecuado, enmascara el verdadero mensaje de fondo, más sutil, no verbalizado, que puede permanecer oculto.

— La comprensión de la naturaleza de la relación, el contexto, los indicadores no verbales y las transacciones previas son elementos clave para comprender y analizar con precisión la profundidad de este tipo de transacción.

— Ejemplo: «¿A qué hora crees que terminarás el informe?» («A ver si acabas de una vez y no sigues enredándote en detalles sin importancia») / «Lo acabo enseguida» («Si dejas de interrumpirme y de meterme prisa, a lo mejor puedo terminarlo»).

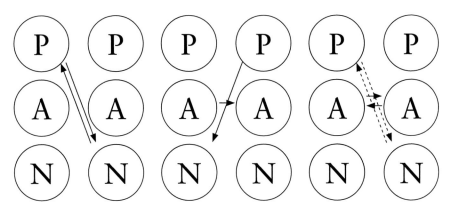

Transacción paralela   Transacción cruzada   Transacción ulterior

POSICIONES EXISTENCIALES

La propuesta del análisis transaccional también contempla la diferenciación entre algunas posturas, creencias o percepciones que tiene el sujeto de sí mismo y del mundo. Las distintas posiciones existenciales determinan en gran medida qué comunica el sujeto:

POSICIONES EXISTENCIALES

Depresiva: «Yo estoy mal – Tú estás bien».
Maníaca: «Yo estoy bien – Tú estás bien».
Paranoide: «Yo estoy bien – Tú estás mal».
Nihilista: «Yo estoy mal – Tú estás mal».
Realista: «Yo estoy bien / mal – Tú estás bien / mal».

— Posición *depresiva*: «Yo estoy mal – Tú estás bien». El sujeto proyecta todos los aspectos positivos en el exterior, en las otras personas, percibiendo el malestar en él mismo. Sus expresiones muestran valoración y reconocimiento hacia el exterior, por oposición a la autocrítica y al autorreproche que se aplica a sí mismo y sus circunstancias.

— Posición *maníaca*: «Yo estoy bien – Tú estás bien». En este caso el sujeto contempla en exclusiva las propiedades y atributos positivos y de bienestar, tanto en él mismo como en los demás. Es un enfoque cargado de euforia, que conlleva la negación de aspectos negativos. En el discurso se refleja una exagerada y desproporcionada positividad que resulta desajustada.

— Posición *paranoide*: «Yo estoy bien – Tú estás mal». Caracterizada por la proyección hacia el exterior —en los demás— de cualquier aspecto negativo. Si las circunstancias son negativas, se debe a los demás. El sujeto se atribuye a sí mismo los aspectos positivos.

— Posición *nihilista*: «Yo estoy mal – Tú estás mal». El sujeto percibe la negatividad tanto en el interior como en el exterior. Nada parece estar bien. Su discurso transmitirá una visión de la vida teñida de desencanto y de desesperanza.

— Posición *realista*: «Yo estoy bien / mal – Tú estás bien / mal». Es una posición razonable, capaz de contemplar aspectos tanto positivos como negativos en uno mismo y en los demás. Evita las tendencias exageradas, tanto al pesimismo y al optimismo como a la introyección y a la proyección hacia el exterior.

LA VENTANA DE JOHARI

La Ventana de Johari —Joseph Luft y Harry Ingham— es un valioso recurso de análisis que permite representar y analizar de manera gráfica diferentes áreas de la persona que están estrechamente vinculadas con la comunicación y con las relaciones que establece con los demás. Para acercarnos a su planteamiento, algunas preguntas resultan de entrada reveladoras:

— ¿Qué conocemos de nosotros mismos?
— ¿Qué conocen los demás de nosotros?
— ¿Qué parte de nosotros estamos dispuestos a dar a conocer?
— ¿Qué podemos aprender acerca de nosotros a partir de la opinión de los demás?
— ¿Qué parte de nosotros permanece oculta, pendiente de ser descubierta?

No es tarea sencilla llegar a conocer la opinión que sobre la persona se han forjado los demás. Tanto ellos como el propio sujeto pueden haber ido elaborando una imagen distorsionada. Gran parte de lo que es el ser humano lo es precisamente en función de la mirada de los demás, y de cómo él mismo percibe esa «mirada». La percepción de sentirse apreciado y valorado por otra persona modula el comportamiento que se tiene con ella y facilita el mostrarse más receptivo, confiado, sincero o amable.

Si se tienen en cuenta las áreas conocidas y las desconocidas de la persona, y ambas áreas contempladas tanto por ella misma como por los demás, se elabora una representación gráfica que incluiría cuatro zonas:

Áreas de la persona

	Conocida por uno mismo	Desconocida por uno mismo
Conocida por los demás	PÚBLICA	CIEGA
Desconocida por los demás	PRIVADA	DESCONOCIDA

— *Zona pública* o abierta: es la parte del sujeto que éste conoce de sí mismo y a su vez da a conocer a los demás.

— *Zona ciega* u oculta: área que ignora el sujeto, de la que no es consciente y, sin embargo, llega a ser percibida y conocida por los demás, que tienen acceso a ella sin que la persona la haya mostrado de forma voluntaria o consciente. Por ejemplo, miedos, frustraciones, emociones, etc.

— *Zona privada* o reservada: es conocida por el propio sujeto pero éste evita de forma deliberada darla a conocer a otras personas, manteniéndola oculta, reservada en el ámbito de lo privado.

— *Zona desconocida* o inexplorada: es un área del sujeto a la que no se ha tenido acceso; ni él ni los demás tienen consciencia de ella. Ahí reside todo un enorme potencial que en muchos casos queda latente en la persona, sin llegar a manifestarse.

El abrirse a los demás, contar y darse a conocer, ser transparente, sincerarse y confiar en las personas permite ampliar la zona pública y reducir la zona privada. A veces las personas se muestran reticentes a esta propuesta de «autoapertura». Parece lógico que se muestre cierta resistencia a dar a conocer aspectos personales que se reservan para las relaciones de confianza y amistad. Lógicamente no se trata de contar «todo» y a «todas las personas». Se trata más bien de darse a conocer, de buscar puntos de conexión.

En el origen de esa reserva que suele manifestarse está la sensación o anticipación de que aquellos a quienes estamos proporcionando esa información personal pudiesen utilizarla de forma inadecuada o imprudente. La apertura discreta y razonable hacia los demás no tiene por qué hacer sentir más vulnerable a la persona. En general, se quiere, aprecia y valora aquello que se conoce y que resulta familiar y cercano. Y del mismo modo el temor es a menudo fruto del desconocimiento —es más fácil temer a un desconocido—. La comunicación se realiza de forma más sencilla y óptima cuando se conoce y comprende el contexto vital y existencial en el que se mueve y vive la persona con la que nos comunicamos.

PÚBLICA	CIEGA
⇩ PRIVADA	DESCONOCIDA

Reducción de la zona privada. Autoapertura.

Otra propuesta tiene que ver con la mejora del autoconocimiento a partir del acceso a la información de la que disponen los demás y de la que el propio sujeto no es consciente. Para reducir esa zona ciega es preciso estar abierto a recibir esa información. Al igual que en el caso anterior la clave estaba en la autoapertura, aquí resulta esencial el feedback. El sujeto puede observar, preguntar, solicitar opiniones, mostrarse receptivo ante las sugerencias y observaciones que le hacen los demás. Su visión acerca de sí mismo se amplía de ese modo.

Cabe mencionar en este punto que no se trata de aceptar de manera acrítica todo aquello que nos digan los demás acerca de nosotros mismos. La propuesta se orienta a mostrar una actitud abierta y tener en cuenta la información que los demás nos aportan. Se puede aprovechar a modo de sugerencias y propuestas, para la reflexión y en su caso para el cambio. Se trata de una valiosa información acerca de cómo nos ven los demás. En las relaciones sociales, la reciprocidad y las interacciones están teñidas de múltiples procesos de comparación social en los que cada sujeto «es» en función de cómo «son» los demás. Este aspecto modula en gran medida el curso de las relaciones, derivando por ejemplo en integración o rechazo, en afecto o aversión.

PÚBLICA	⇨	CIEGA
PRIVADA		DESCONOCIDA

Reducción de la zona ciega. Feedback.

La tercera propuesta estaría dirigida a reducir la zona desconocida. Para ello no cabe consultar a los demás, que la desconocen, ni abrirse a ellos, puesto que tampoco nosotros tenemos consciencia de esa área. La ampliación del autoconocimiento viene en este caso de la mano de la exposición, por parte de la persona, a situaciones y experiencias nuevas. En este caso será la interacción con el mundo la que nos brinde el descubrimiento de aquella parte de nosotros mismos que aún estaba «en la semilla».

PÚBLICA	CIEGA
PRIVADA	DESCONOCIDA

Reducción de la zona desconocida. Descubrimiento.

EJERCICIO DE ANÁLISIS DE LA REACCIÓN DE LOS ESTADOS DEL YO

Analiza las siguientes frases e identifica y anota en cada caso con las letras correspondientes —P, A, N—, según la respuesta/reacción proceda del estado padre, adulto o niño.

1. Un estudiante ha perdido una carpeta con algunos apuntes de clase:
   — «Debes ser más responsable y poner orden en tus cosas».   ___
   — «Vamos a preguntar en conserjería. Puede que alguien la haya encontrado».   ___
   — «¡Va! Seguro que ese maldito tema no cae en el examen».   ___

2. La madre ha propuesto al padre llamar por teléfono al hijo:
   — «Vamos a comer fuera y a disfrutar del día».   ___
   — «Podemos ponerle un mensaje por si aún sigue en la entrevista». ___
   — «Deberíamos haberle acompañado por si necesitaba ayuda».   ___

3. El coche no arranca al accionar la llave del contacto:
   — «Vamos a comprobar el sistema eléctrico por si la batería está descargada». ___

— «Ya te dije varias veces que hay que hacer la revisión periódicamente». ____

— «Este maldito coche tiene que fallar justo cuando más lo necesito». ____

4. La empresa anuncia despidos por un expediente de regulación de empleo:

— «Les demandaré. No tienen derecho a hacer esto con los trabajadores». ____

— «La opción de trabajar como autónomo podría ser una buena alternativa». ____

— «Ya sabía yo que me iba a tocar a mí; el jefe me la tenía jurada». ____

5. Los compañeros quedan para juntarse y uno se presenta vestido elegantemente:

— «Esa ropa es muy elegante. Tal vez viene de una entrevista». ____

— «Se creerá alguien importante por llevar ese traje y esa corbata». ____

— «Todos deberíamos cuidar más nuestra imagen». ____

6. El hijo ha suspendido varias asignaturas:

— «Ese profesor no sabe dar clase. Y además la tiene tomada contigo». ____

— «No te preocupes; nosotros te ayudaremos con el estudio». ____

— «Una adecuada programación del estudio puede resultarte muy útil». ____

7. Un miembro de la pareja propone tomarse un tiempo en la relación:

— «Si cortamos la relación, no se te ocurra volver a llamarme». ____

— «¿Es por mi culpa? ¿Qué he hecho mal?». ____

— «Tomarnos un tiempo tal vez nos ayude a tener las ideas más claras». ____

8. Una persona intenta colarse en una fila:
   — «Disculpe, tal vez se ha confundido. Aquella persona le puede dar la vez».   ___
   — «Es una vergüenza que intenten colarse. Los demás también estamos aquí».   ___
   — «A la cola, que está sola».   ___

9. Varias personas comentan un accidente que se ha producido en una calle cercana:
   — «Cuéntame más. ¡Vaya mala suerte que han tenido!».   ___
   — «Ya se han producido con anterioridad varios accidentes en ese punto».   ___
   — «La culpa es de los conductores, que no respetan la señalización».   ___

10. Un mendigo se acerca pidiendo limosna en la calle:
    — «Voy a darle algo de dinero. Se ve que el pobre está muy necesitado».   ___
    — «A mí no tienen por qué venir a darme el rollo. ¡Que me dejen en paz!».   ___
    — «Los servicios sociales pueden ofrecer ayudas económicas y sanitarias».   ___

Clave de respuestas: 1: P/A/N. 2: N/A/P. 3: A/P/N. 4: P/A/N. 5: A/N/P. 6: N/P/A. 7: P/N/A. 8: A/P/N. 9: N/A/P. 10: P/N/A.

9

COMUNICACIÓN INTERPERSONAL

*«La mitad de las dificultades
con las que tropieza el ser humano
provienen de su deseo de responder
a todas las preguntas con un sí o con un no».*

WILLIAM SOMERSET MAUGHAM

COMUNICACIÓN EN NEGATIVO

Uno de los mayores retos que se plantean cuando se trata de mejorar la comunicación es lograr abordar los contenidos de la misma dándoles una orientación positiva. Podemos adquirir el hábito de reconvertir en positivos aquellos mensajes que puedan presentar alguna carga negativa.

Veamos un ejemplo. La expresión «*contra la intolerancia*» incluye dos palabras que merecen ser analizadas, y que podrían ser reconvertidas:

- De entrada, podemos observar que la expresión parece introducir un cierto sentido paradójico. Se podría interpretar como que «no se tolera a los intolerantes».
- En segundo lugar, tal vez resulte más positivo abogar «*a favor*» que «*en contra*».
- La palabra «intolerancia» —no tolerancia— es el término opuesto a «*tolerancia*», que sería la vertiente positiva.
- Pero, además, la palabra «tolerancia» puede tener cierta connotación negativa: consentir, aguantar con resignación aunque no se esté de acuerdo, transigir desde una cierta posición de superioridad.
- El término «tolerancia» ofrece muchos sinónimos que tienen una orientación bastante más positiva, como «*acepta-*

ción, reconocimiento, comprensión, consideración, respeto».

• La expresión podría quedar finalmente reconvertida en esta otra: «*a favor del respeto*».

La tendencia a expresarnos en negativo afecta de lleno a nuestras interacciones diarias. En una ocasión una persona me planteaba las dificultades que tenía en su relación de pareja, especialmente en el ámbito de la comunicación, y me ponía el siguiente ejemplo:

— *Mi pareja tiene una actitud muy negativa. Su respuesta habitual es no. Incluso cuando vienen algunas amistades a visitarnos a casa la pregunta que les hace es: «¿No queréis tomar nada?». Y con esa manera de formular la pregunta la probabilidad de que respondan «no» es muy alta.*

¿De qué otra forma se lo podía haber preguntado o planteado? Hay varias posibilidades:

— «*¿Queréis tomar algo?*» — pregunta en positivo.
— «*¿Qué os apetece tomar?*» — pregunta directa.
— «*¿Queréis que os prepare un refresco o un café?*» — oferta de alternativas.
— «*Vamos a preparar algún aperitivo*» — propuesta directa que afirma.
— «*Nos encantaría tomar algo con vosotros*» — manifestación de un deseo.

La palabra NO se convierte con demasiada frecuencia en la gran muralla, a veces infranqueable, de muchas comunicaciones.

La negación sistemática, una muralla en la comunicación.

Nuestro estilo de comunicación tiene mucho que ver con nuestro carácter y con nuestra forma particular de ver el mundo. Hay personas que suelen centrarse en poner soluciones a los problemas, mientras otras parecen especialistas en poner problemas a cada una de las soluciones que proponen los demás. Hay un continuo entre tener cierto sentido crítico y tener una actitud claramente negativa. Mostrar en determinados momentos una actitud negativa no implica «ser negativo».

¿QUÉ COMUNICAMOS?

Se suele decir que «hablando se entiende la gente», lo que pone de relieve la importancia de la comunicación para el entendimiento mutuo. Sin embargo, ocurre con demasiada frecuencia que esto no es así. Habría que matizar la frase; podríamos afirmar que «hablando se puede entender la gente», o al menos lo intentan.

Hablar es pensar, expresar, contar, describir, narrar, confesar. Y también es disimular, ocultar, mentir, callar. De manera voluntaria o involuntaria comunicamos muchas cosas a la vez: lo que somos, lo que tenemos, lo que pensamos o creemos, lo que hacemos. Transmitimos en definitiva aquello que vivimos. Comunicar nos permite compartir y hacer partícipes a otras personas de nuestros:

- Pensamientos, opiniones, ideas, recuerdos.
- Sentimientos, emociones, afectos.
- Conductas, acciones.

Comunicación y niveles de comportamiento

La persona que comunica puede tener diferentes motivaciones para hacerlo. Mediante la comunicación intentamos satisfacer necesidades muy diversas:

- *Sociabilidad:* compartir.
- *Reconocimiento:* agradar.
- *Autoafirmación*: convencer.
- *Poder*: dominar.
- *Autorrealización*: aprender.

Los seres humanos podemos expresar contenidos muy diversos:

- *Informaciones*: un dato, una explicación, una aclaración. *«El incremento salarial es de un 2,5 por 100».*
- *Opiniones*: un juicio, una valoración, una convicción. *«Mi impresión...»*
- *Dudas*: una indecisión, una incertidumbre, una inseguridad. *«Tal vez...»*

- *Órdenes*: un mandato, un aviso, una instrucción. *«Haz lo que te he dicho».*
- *Deseos*: un anhelo, un deseo, una voluntad. *«Me gustaría...»*
- *Ruegos*: una petición, una súplica, una solicitud. *«Por favor...»*
- *Preguntas*: una cuestión, una consulta, una interrogación. *«¿Cuál es el motivo...?»*

La mayor o menor frecuencia con la que utilizamos cada uno de ellos puede acabar imprimiendo un cierto carácter a nuestra forma de comunicarnos. Mostramos así un cierto estilo que puede ser más objetivo o subjetivo, personal o impersonal, decidido o inseguro.

ESTILOS DE COMUNICACIÓN

Podemos observar tres categorías o estilos de comunicación con características bien diferenciadas: inhibido, asertivo y agresivo.

INHIBIDO	ASERTIVO	AGRESIVO
Sometimiento	Liderazgo personal	Dominación
Actitud defensiva	Autoafirmación	Ataque
Aceptación	Valoración	Rechazo
Neutralidad	Positivismo	Negativismo
Indecisión	Decisión	Imposición
Minusvaloración	Autoestima	Sobrevaloración
Ansiedad	Relajación	Tensión
Autocontención	Autocontrol	Descontrol
Miedo	Valor	Temeridad
Inestabilidad	Equilibrio	Desequilibrio
Silencio	Afirmación	Exigencia
Sumisión	Participación	Autoritarismo
Inseguridad	Seguridad	Autosuficiencia

INHIBIDO	ASERTIVO	AGRESIVO
Pasividad	Actividad	Hiperactividad
Acatamiento	Información	Amenaza
Timidez	Sociabilidad	Sociopatía
Dependencia	Interpendencia	Independencia
Evitación	Colaboración	Competición
Autoinculpación	Ecuanimidad	Culpabilización
Escucha	Diálogo	Monólogo
Autodesprecio	Aprecio	Desprecio
Silencio	Respeto	Invasión
Inactividad	Proactividad	Reactividad

Características diferenciales de tres estilos básicos de comunicación

La tabla anterior recoge las características más relevantes que permiten resaltar las diferencias entre los tres estilos personales de comunicación. Son cualidades que muestran rasgos personales y tendencias, en un intento de ofrecer una descripción o una aproximación a cada estilo.

Veamos cada uno de los estilos, con las características más destacadas, las actitudes que manifiestan en su conducta, las expresiones que les son más habituales, diversos indicadores de comunicación no verbal que los delatan, y algunas posibles repercusiones o consecuencias que tienen para la persona.

Inhibido

- *Característica destacada:* antepone los intereses, opiniones y deseos de los demás, acatándolos sin intentar defender los suyos.
- *Actitud:* «Sólo las opiniones, sentimientos y deseos de los demás son importantes. Los míos no son importantes». «Sería terrible si los demás se pudiesen llegar a sentir ofendidos por mí y llegaran a rechazarme».

- *Algunas expresiones:* «No sé, lo que vosotros digáis, me da igual, me adapto, yo prefiero no opinar, si no es molestia, puede ser, lo que digáis, no estoy seguro, discúlpame, no quisiera molestar...».
- *Indicadores no verbales:* gestos de duda, inseguridad e indecisión, volumen bajo de voz, vacilante o temblorosa, evitación del contacto visual, nerviosismo, contención en los movimientos y en la postura del cuerpo, que puede mostrarse encorvado o agachado, o a la defensiva, con los brazos cruzados.
- *Consecuencias:* conflicto personal, culpabilización, reducción de la autoestima, frustración, ansiedad, indefensión, retraimiento, evitación, depresión, aislamiento, autodesprecio.

Asertivo

- *Característica destacada:* expresa sus opiniones y defiende sus derechos, sin imposición ni sometimiento, y sin provocar rechazo en los demás, a los que también escucha y atiende.
- *Actitud:* «Tanto mis opiniones, sentimientos y deseos como los de los demás son legítimos e importantes. Puedo escuchar y respetar a los demás y, a la vez, expresar abiertamente mis ideas».
- *Algunas expresiones:* «En mi opinión, según mi criterio, creo que, podemos resolverlo, qué te parece, tenemos varias posibilidades, cuál de las alternativas te parece más adecuada...».
- *Indicadores no verbales:* postura recta, erguida, mantenimiento del contacto visual, volumen de voz adecuado, ni excesivamente alto ni muy bajo, fluidez en el habla, sonrisa, gestos de asentimiento y aprobación con la cabeza, movimientos adecuados, mostrando cierta apertura con las manos y los brazos.

- *Consecuencias:* satisfacción personal, comunicación fluida, prevención y solución óptima de conflictos, buen clima que favorece el establecimiento y mantenimiento de unas relaciones sociales armónicas y satisfactorias, autoestima, seguridad, relajación, autocontrol y equilibrio emocional, colaboración.

Agresivo

- *Característica destacada:* tiende a imponer sus opiniones y criterios, a hacer valer sus derechos sin tener en cuenta los de los demás.
- *Actitud:* «Sólo mis opiniones, sentimientos y deseos son importantes. Los de los demás carecen de importancia».
- *Algunas expresiones:* «Deberías, ten mucho cuidado, porque lo digo yo, más te vale...».
- *Indicadores no verbales:* mirada mantenida y desafiante, gestos amenazantes e intimidatorios, dedo índice extendido, postura rígida y firme, puño cerrado, volumen de la voz elevado, rapidez en el habla, invasión del espacio personal.
- *Consecuencias:* discusión, conflictos interpersonales, rechazo social, enfado, agresividad, tensión, bajo autocontrol emocional.

LA CARRETA

Caminaba con mi padre, cuando él se detuvo en una curva y después de un pequeño silencio me preguntó:
— *¿Además del cantar de los pájaros, escuchas algún otro sonido?*

Agudicé mis oídos y, algunos segundos después, respondí:
— *Estoy escuchando el ruido de una carreta.*
— *Eso es —dijo mi padre—. Es una carreta vacía.*

Yo le pregunté entonces:

— *¿Cómo sabes que es una carreta vacía, si aún no la vemos?*

Y mi padre respondió:

— *Es muy fácil saber cuando una carreta está vacía... por el ruido. Cuanto más vacía la carreta, mayor es el ruido que hace.*

Ha pasado mucho tiempo de aquello. Yo me convertí en adulto, y, todavía hoy, cuando veo a una persona hablando demasiado, interrumpiendo la conversación de los demás, siendo inoportuna o violenta, presumiendo de lo que tiene, mostrándose prepotente y menospreciando a la gente, tengo la impresión de escuchar la voz de mi padre diciendo:

«Cuanto más vacía la carreta, mayor es el ruido que hace».

(Anónimo)

INICIAR Y MANTENER UNA CONVERSACIÓN

Mantener conversaciones es algo que realizamos habitualmente con diferentes personas de nuestro entorno. A la hora de mantener un diálogo con otra persona nos podemos plantear la posibilidad de tomar la iniciativa, elegir el momento más adecuado, y anticipar las consecuencias positivas que se van a derivar de nuestra conversación.

Hay algunas estrategias que facilitan y optimizan el establecimiento y el desarrollo de una conversación:

- Sonreír y mantener el contacto visual con nuestro interlocutor.
- Saludar: «Hola, buenos días».
- Presentarse: «Mi nombre es... soy la persona encargada de...».
- Introducir la conversación: «Tuvimos ocasión de coincidir en la última reunión...».

• Preguntar, mostrar interés por la otra persona sin sonsacar: «¿En qué consiste su trabajo?».
• Pedir información: «¿Podría indicarme la dirección?».
• Solicitar una opinión o un consejo: «¿Qué le parece...?».
• Compartir opiniones propias: «Mi impresión es que...».
• Ofrecer ayuda: «Si lo desea puedo ayudarle».
• Realizar alguna alabanza, decir algún cumplido: «Ha obtenido unos resultados excepcionales».
• Formular afirmaciones y deseos positivos: «Ha sido un placer saludarle. Le deseo mucha suerte».
• Despedir la conversación: «Adiós. Nos vemos el próximo día».

HABILIDADES SOCIALES Y COMUNICACIÓN ASERTIVA

Cuando hablamos de habilidades sociales nos referimos a un conjunto de competencias y conductas aprendidas que el individuo pone en práctica en un contexto de relación interpersonal. A través de dichas conductas la persona expresa sus opiniones, actitudes, sentimientos y deseos, de un modo adecuado tanto a la situación como al contexto. Implica, lógicamente, escuchar y respetar también los contenidos de su interlocutor, lo que contribuye a prevenir los conflictos interpersonales y facilita su resolución.

Veamos algunos consejos referidos a distintas situaciones:

• Cómo realizar una crítica:

  • Elegir el momento adecuado.
  • Mantener una actitud positiva.
  • Exponer la situación describiendo conductas observables.
  • Evitar interpretar la intencionalidad de la conducta.

- Desvincular la conducta de cualquier valoración o calificativo referido a la persona.
- Expresar los sentimientos o sensaciones que dicho comportamiento provoca en nosotros.
- Sugerir cambios y proponer conductas alternativas.
- Agradecer la escucha, y la aceptación de nuestras opiniones y nuestras propuestas.

- Cómo recibir una crítica:

  - Escuchar activamente.
  - Respetar el punto de vista de la otra persona.
  - Recibir la crítica sin negarla o rechazarla de entrada.
  - Evitar actitudes defensivas, de autodisculpa o autojustificación.
  - Solicitar, en su caso, más información.
  - Evitar contraatacar con nuevas críticas.
  - Analizar la crítica.
  - Si es una crítica justificada, expresar nuestro acuerdo con la misma.
  - Manifestar nuestro deseo de mejorar, y las propuestas de cambio.
  - Agradecer el interés y la confianza.

- Cómo expresar sentimientos positivos y solicitar cambios:

  - Mencionar una conducta adecuada o positiva que realiza la persona.
  - Valorar a la persona y felicitarla por dicho comportamiento.
  - Hacer referencia a algún aspecto que pudiera ser susceptible de mejora.
  - Sugerir y proponer cambios en el mismo.
  - Escuchar las opiniones y las propuestas de cambio.
  - Solicitar el cambio preciso.

- Finalizar mencionando nuevamente la conducta positiva.

- Cómo transmitir malas noticias:

  - Valorar primero la necesidad de dar determinada información negativa.
  - Anticipar la posible reacción del receptor —negación, ira, tristeza, aceptación.
  - Ponernos en su lugar.
  - No presuponer que su reacción será necesariamente negativa.
  - Decidir, si es posible, el momento más adecuado.
  - Dosificar y estructurar adecuadamente el contenido.
  - Mostrar tacto y delicadeza.
  - Transmitir la información en positivo.
  - Hablar con tranquilidad, pausadamente.
  - Interesarse por sus sentimientos.
  - Tranquilizar y expresar apoyo, solidaridad, esperanza.

- Cómo decir no:

  - Manifestar la negativa con serenidad, no con enfado o de forma agresiva.
  - Repetir las expectativas de forma persistente.
  - Evitar dejarse convencer por argumentos irrelevantes.
  - Insistir hasta que la otra persona acepte nuestra negativa.

NECESITAMOS TENER RAZÓN

A la hora de comunicarnos, los seres humanos nos enfrentamos a un grave problema de base: nuestro empeño en tener razón. Poniendo por delante la razón somos capaces de jugarnos nuestro bienestar y el de los demás. Parecemos necesitados de reafirmar constantemente nuestra propia identidad, de autoafirmarnos, de remarcar nuestras diferencias, manifestando seguridad en cualquier circunstancia y ante cualquier argumento en contra, aunque sea irrefutable.

Recuerdo una antigua anécdota humorística en la que un hombre le preguntaba sorprendido a un conocido: «*Oye, ¿cómo es posible que te encuentres siempre tan sano y lleno de felicidad?*». A lo que éste respondía con serenidad: «*Mi secreto es que no discuto nunca*». El hombre le replicaba: «*¡Venga ya! No será por eso*». Y el conocido le respondía con tranquilidad: «*Pues no será por eso*».

Con frecuencia comunicamos nuestra visión de las cosas como si nos fuese la vida en ello. Nuestra idea tiene que salir triunfante; nos comunicamos casi exigiendo que se admita y se acepte la «verdad», sin ser conscientes de que estamos hablando de nuestra verdad. Los demás también tienen su verdad.

Cabe preguntarse si esa necesidad de mostrar tanta seguridad en lo que decimos no intenta encubrir una cierta inseguridad en nosotros mismos, o sobre aquello de lo que estamos hablando.

Tras largos y profundos análisis sobre las relaciones humanas y la comunicación podríamos llegar a una conclusión tan sencilla y valiosa como la siguiente:

«*Lo primero son las personas, y después las ideas*».

A MODO DE SÍNTESIS

A modo de síntesis proponemos una revisión rápida de algunos de los factores, conductas y actitudes más destacados que pueden contribuir a una comunicación más eficaz o que podrían dificultarla.

Factores, conductas y actitudes que optimizan o interfieren la comunicación

Facilita la comunicación	Dificulta la comunicación
Igualdad	Superioridad
Empatía	Egocentrismo
Optimismo	Negatividad
Cercanía	Distanciamiento
Naturalidad	Artificialidad
Preparación	Improvisación
Sencillez	Complejidad
Apertura	Ocultamiento
Descripción	Valoración
Objetividad	Subjetividad
Autocontrol	Descontrol
Escucha	Interrupción
Serenidad	Nerviosismo
Reflexión	Impulsividad
Diálogo	Monólogo
Tiempo	Prisa

COMPETENCIAS SOCIALES Y COMUNICACIONALES

Autoanálisis de habilidades y áreas de mejora

En el siguiente listado encontrará diferentes áreas y habilidades vinculadas a las competencias sociales y comunicacionales. Marque aquellas en las que encuentre especial dificultad y aquellas habilidades que desea potenciar:
— Escuchar activamente.
— Iniciar una conversación.
— Mantener una conversación.
— Terminar una conversación.
— Formular preguntas.

— Responder a preguntas.
— Superar una entrevista.
— Hablar delante de un grupo.
— Controlar los nervios.
— Superar la timidez o la vergüenza.
— Expresar críticas.
— Recibir críticas.
— Manifestar sentimientos y emociones negativos.
— Dar malas noticias.
— Expresar elogios.
— Recibir elogios.
— Manifestar sentimientos y emociones positivos.
— Comprender los sentimientos de los demás.
— Presentarse a los demás.
— Presentar a otras personas.
— Mantener una relación de amistad.
— Establecer relaciones de pareja.
— Mantener una relación de pareja.
— Mantener contacto físico.
— Expresar opiniones propias.
— Afrontar una discusión.
— Participar en un debate.
— Argumentar.
— Convencer a los demás.
— Negociar.
— Respetar los derechos de los demás.
— Defender los derechos propios.
— Expresar una queja.
— Responder ante una queja.
— Decir «no» cuando se desea.
— Adecuar la voz —volumen, tono, ritmo, vocalización.
— Adecuar el lenguaje —vocabulario, fluidez, corrección.
— Expresar emociones a través de los gestos.
— Sonreír en las conversaciones con los demás.
— Hacer sonreír a los demás.
— Aceptar las bromas de los demás.
— Mantener el contacto visual.

— Tener una postura corporal adecuada.
— Adecuar movimiento de manos, brazos, cabeza, cuerpo.
— Cuidar la presencia y la apariencia física.
— Manifestar agradecimiento.
— Recibir agradecimientos.
— Dar instrucciones.
— Recibir instrucciones.
— Dar feedback.
— Recibir feedback.
— Pedir disculpas.
— Recibir disculpas.
— Pedir permiso.
— Dar permiso.
— Pedir ayuda.
— Ofrecer ayuda.
— Otras.

DESPEDIDA

Con estas últimas consideraciones acerca de la comunicación interpersonal concluye este libro. Esperamos que el contenido del mismo haya contribuido de forma decisiva a construir una visión más positiva de la comunicación, y a conocer y saber intervenir con acierto sobre las variables que determinan su eficacia.

GUILLERMO BALLENATO PRIETO
gballenato@gmail.com
www.cop.es/colegiados/m-13106

BIBLIOGRAFÍA

Abascal, M. D.; Beneito, J. M.; Valero, F. (1993): *Hablar y escuchar: una propuesta para la expresión oral en la enseñanza secundaria.* Barcelona: Octaedro.

Austin, J. L. (1998): *Cómo hacer cosas con palabras: palabras y acciones.* Barcelona: Paidós.

Ballenato, G. (2005): *Trabajo en equipo. Dinámica y participación en los grupos.* Madrid: Pirámide.

Ballenato, G. (2005): *Técnicas de estudio. El aprendizaje activo y positivo.* Madrid: Pirámide.

Ballenato, G. (2006): *Hablar en público. Arte y técnica de la oratoria.* Madrid: Pirámide.

Ballenato, G. (2007): *Gestión del tiempo. En busca de la eficacia.* Madrid: Pirámide.

Ballenato, G. (2007): *Educar sin gritar. Padres e hijos: ¿convivencia o supervivencia?* Madrid: La Esfera de los libros.

Ballenato, G. (2009): *Merezco ser feliz. El regalo de una vida en positivo.* Madrid: La Esfera de los libros.

Barbotin, E. (1977): *El lenguaje del cuerpo.* Pamplona: EUNSA.

Baylon, C.; Mignot, X. (1996): *La comunicación.* Madrid: Cátedra.

Benavides, J. (2001): *Dirección de comunicación empresarial e institucional.* Barcelona: Gestión 2000.

Beriano Peirats, E.; Pinazo Hernandis, S. (2001): *Interacción social y comunicación: prácticas y ejercicios.* Valencia: Tirant lo Blanch.

Berne, E. (1987): *Juegos en los que participamos.* México: Diana.

Birdwhitell, R. L. (1979): *El lenguaje de la expresión corporal.* Barcelona: Gustavo Gili.

Blakeney, R. (1987): *Manual de Análisis Transaccional.* Buenos Aires: Paidós.

Boada, H. (1986): *El desarrollo de la comunicación en el niño.* Barcelona: Anthropos-Psicología.

Broadbent, D. E. (1983): *Percepción y comunicación*. Madrid: Debate.

Buendía, J. (1999): *Psicología clínica. Perspectivas actuales*. Madrid: Pirámide.

Burley-Allen, M. (1989): *La escucha eficaz en el desarrollo personal y profesional*. Bilbao: Deusto.

Caballo, V. (1993): *Manual de evaluación y entrenamiento de las habilidades sociales*. Madrid: Pirámide.

Camacho Pérez, S.; Sáenz Barrio, Ó. (2000): *Técnicas de comunicación eficaz para profesores y formadores*. Alcoy: Marfil.

Cassany, D. (1995): *La cocina de la escritura*. Barcelona: Anagrama.

Castanier, O. (1996): *La asertividad: expresión de una sana autoestima*. Bilbao: Desclée de Brouwer.

Castilla del Pino, C. (1970): *La incomunicación*. Barcelona: Península.

Cuesta, U. (2000): *Psicología social de la comunicación*. Madrid. Cátedra.

Davis, F. (1989): *La comunicación no verbal*. Madrid: Alianza.

Dubois, G. (1991): *Lenguaje y comunicación*. Barcelona: Masson.

Engl, J.; Thurmaier, F. (2001): *¿Cómo hablas tú conmigo? Cara y cruz de la comunicación en pareja*. Madrid: CCS.

Fast, J. (1998): *El lenguaje del cuerpo*. Barcelona: Kairós.

Fernández-Abascal, E. G. (1997): *Cuaderno de prácticas de motivación y emoción*. Madrid: Pirámide.

Fletcher, J. A.; Gowing, D. F. (1990): *La comunicación escrita en la empresa*. Bilbao: Deusto.

Flusser, V. (1994): *Los gestos. Fenomenología y comunicación*. Barcelona: Herder.

Fried Schnitman, D. (2000): *Nuevos paradigmas en la resolución de conflictos*. Buenos Aires: Granica.

Fritzen, S. J. (1987): *La ventana de Johari*. Bilbao: Sal Terrae.

Fritzen, S. J. (1988): *70 ejercicios prácticos de dinámica de grupo*. Bilbao: Sal Terrae.

García Huete, E. (2003): *El arte de relacionarse*. Málaga: Aljibe.

García, R. (1981): *Todos pueden hablar bien*. Madrid: Edaf.

Gauquelin, F. (1972): *Saber comunicarse*. Bilbao: Mensajero.

Gil Rodríguez, G.; García, M. (1993): *Grupos en las organizaciones*. Eudema.

Goldstein, A. P. (1989): *Habilidades sociales y autocontrol en la adolescencia*. Barcelona: Ed. Martínez Roca.

Golse, B.; Bursztejn, C. (1992): *Pensar, hablar, presentar. El emerger del lenguaje*. Barcelona: Masson.

Gómez Torrego, L. (2001): *Ortografía de uso del español actual*. Madrid: S.M.

Gómez Torrego, L. (2002): *Nuevo manual de español correcto*. Madrid: Arco Libros.

Guyx, X. (2004): *Ni me explico, ni me entiendes: los laberintos de la comunicación*. Barcelona: Granica.

Huertas, E. (1992): *El aprendizaje no-verbal de los humanos*. Madrid: Pirámide.

Kelly, J. A. (1987): *Entrenamiento de las habilidades sociales*. Bilbao: Desclée de Brouwer.

Kertesz, R. (1979): *Introducción al Análisis Transaccional*. Buenos Aires: Paidós.

Kostalonu, F. (1977): *Conocer a los demás por los gestos*. Bilbao: El Mensajero.

Lázaro Carreter, F. (1997): *El dardo en la palabra*. Barcelona: Círculo de Lectores.

López Valero, A.; Encabo Fernández, E. (2001): *Mejorar la comunicación en niños y adolescentes*. Madrid: Pirámide.

López Valero, A.; Encabo Fernández, E. (2001): *La heurística de la comunicación: el aula feliz*. Barcelona: Octaedro.

Luzan, I. (1991): *Arte de hablar, o sea, retórica de las conversaciones*. Madrid: Gredos.

Marroquín, M.; Villa, A. (1995): *La comunicación interpersonal: meditación y estrategias para su desarrollo*. Bilbao: Ediciones Mensajero.

McKay, M.; Davis, M.; Fannimg, P. (1995): *Mensajes: el libro de las técnicas de comunicación*. RCR. Ediciones.

McLagan, P.; Krembs, P. (2001): *Comunicación cara a cara*. Madrid: Centro de Estudios Ramón Areces.

Megías Valenzuela, E. (2002): *Hijos y padres: comunicación y conflictos*. Madrid: Fundación de Ayuda contra la Drogadicción.

Miralles Lucena, R. (2003): *Medios de comunicación y educación*. Barcelona: CissPraxis.

Moliner, M. (1998): *Diccionario de uso del español*. Madrid: Gredos.

Mucchielli, A. (1998): *Psicología de la comunicación*. Barcelona: Paidós.

Nutley, G. S. (1973): *Conversar y convencer*. Barcelona: Bruguera.

Oraison, M. (1971): *Psicología de nuestros conflictos con los demás*. Bilbao: Mensajero.

Peacock, F. (2003): *Riegue las flores, no las malas hierbas: La comunicación orientada a las soluciones*. Barcelona: Obelisco.

Pease, A. (1988): *El lenguaje del cuerpo*. Barcelona: Paidós.

Peralbo Uzquiano, M. (1998): *Desarrollo del lenguaje y cognición*. Madrid: Pirámide.

Powell, J. (1989): *¿Por qué temo decirte quién soy?* Santander: Sal Terrae.

Ramírez Villafáñez, A. (1997): *La sociedad y tú, todo un reto. Comunicación, estrés y autoestima*. Salamanca: Amarú Ediciones.

Real Academia Española (2001): *Ortografía de la lengua española*. Madrid: Espasa.

Riccardi, R. (1976): *Reunir, hablar y persuadir*. Bilbao: Deusto.

Rodríguez, A. (1993): *Comunicación*. Fundación ECCA.

Salzer, J. (1984): *La expresión corporal*. Barcelona: Herder.

Santacruz, J. (1987): *Psicología del lenguaje. Procesos*. Madrid: UNED.

Sarmiento, R. (1997): *Manual de corrección gramatical y de estilo*. Madrid: SGEL.

Sarramona, J. (1988): *Comunicación y educación*. Barcelona: CEAC.

Schaff, A. (1967): *Lenguaje y conocimiento*. México: Editorial Grijalbo.

Schlieben-Lange, B. (1987): *Pragmática lingüística*. Madrid: Gredos.

Sebastián, C. (2001): *La comunicación emocional*. Madrid: Prentice Hall.

Seco, M. (1999): *Diccionario del español actual*. Madrid: Aguilar.

Shotter, J. (2001): *Realidades conversacionales. La construcción de la vida a través del lenguaje*. Buenos Aires: Amorrortu.

Stanton, N. (1991): *Las técnicas de comunicación en la empresa*. Bilbao: Deusto.

Trevithick, P. (2002): *Habilidades de comunicación en intervención social*. Madrid: Narcea.

Van-Der Hofstadt, C. J. (2005): *El libro de las habilidades de comunicación*. Madrid: Díaz de Santos.

Vinciguerra, C. (1970): *Cómo convencer en la vida*. Barcelona: Editorial de Vecchi.

Watzlawick, P. (1981): *Teoría de la comunicación humana*. Barcelona: Herder.

Watzlawick, P. (1985): *El arte de amargarse la vida*. Barcelona: Herder.

Watzlawick, P. (1985): *Cambio: Formación y solución de los problemas humanos*. Barcelona: Herder.

Whiteside, R. (1990): *El lenguaje del rostro*. Bilbao: Deusto.

TÍTULOS PUBLICADOS